图书在版编目(CIP)数据

100 处水景观/蒲晓东主编. —南京：河海大学出版社，2009.3

(水文化教育丛书/郑大俊，鞠平总主编)

ISBN 978-7-5630-2548-0

Ⅰ. 1… Ⅱ. 蒲… Ⅲ. 理水(园林)—景观—简介—世界 Ⅳ. TU986.4

中国版本图书馆 CIP 数据核字(2009)第 042841 号

书　　名 100 处水景观
书　　号 ISBN 978-7-5630-2548-0/TU·72
责任编辑 朱婵玲
特约编辑 刘德友
责任校对 许晓波　刘书含
装帧设计 南京千秋企划广告有限公司
出版发行 河海大学出版社
经　　销 江苏省新华发行集团有限公司
地　　址 南京市西康路 1 号(邮编:210098)
电　　话 (025)83737852(行政部)
(025)83722833(发行部)
(025)83786934(编辑部)
排　　版 南京理工大学印刷厂
印　　刷 南京工大印务有限公司
开　　本 750 毫米×1020 毫米　1/16
印　　张 14.25
字　　数 241 千字
版　　次 2009 年 7 月第 1 版
印　　次 2009 年 7 月第 1 次印刷
定　　价 680.00 元/套(共 10 册)

总策划

张长宽

总主审

林萍华

总主编

郑大俊　鞠　平

副总主编

吴胜兴　王如高　李乃富

100处/水景观

主编　蒲晓东
副主编　张彦德　潘云涛

弘扬先进水文化，促进水利事业又好又快发展

——《水文化教育丛书》序言

文化是民族的血脉和灵魂，是国家发展、民族振兴的重要支撑。一个民族的文化，凝聚着这个民族对世界和生命的历史认知和现实感受，积淀着这个民族最深层的精神追求和行为准则。党的十七大把文化建设摆在更加突出的位置，对兴起社会主义文化建设新高潮、推动社会主义文化大发展大繁荣作出了全面部署。先进水文化是中华优秀文化的重要组成部分。弘扬和建设先进水文化，为水利事业又好又快发展提供文化支撑，是摆在我们面前的一个重大而紧迫的课题。

我国是一个拥有悠久治水历史的国家，在中华民族五千年文明史中，我们的祖先创造了光辉灿烂的水文化。这些文化，有的以物质形态存在，如都江堰、大运河、坎儿井等举世闻名的水利工程，以及水利工程技术、治水器械工具等物质产品；有的以

制度形态存在，如以水为载体的风俗习惯、宗教仪式、社会关系和社会组织、法律法规；有的以精神形态存在，如对水的认识、有关水的价值观念、与水相关的文化心理和文化特征等。这些璀璨的水文化，已经深深熔铸在中华民族的血脉之中，成为民族生存发展和国家繁荣振兴取之不尽、用之不竭的力量源泉。

新中国成立之后，党和国家领导人民进行了规模空前的水利建设，取得了辉煌的成就。特别是 1998 年特大洪水以后，水利部党组认真贯彻落实科学发展观，按照全面建设小康社会和构建社会主义和谐社会的要求，根据中央水利工作方针，认真总结经验教训，尊重基层和群众的实践创造，与时俱进地提出了可持续发展的治水思路，进行了一系列卓有成效的探索，开启了水利实践的新征程，为水文化建设注入了新的时代内涵。人与自然和谐的治水理念、以人为本的治水宗旨，扬弃了我国传统的治水文化观念，体现了科学发展观的要求；一大批水利水电工程的建设，有力地保障了经济社会发展，激发了民族自豪感，为当代和后人积累了宝贵的物质和精神财富；水利科技创新的突破，水利信息化的推进，显著提升了我国水利的科技含量和现代化水平，武装和改造了传统水利；节水防污型社会建设的深入开展，依法治水的不断推进，促进了传统治水方式和水管理制度的深刻变革；“献身、负责、求实”的水利行业精神，“万众一心、众志成城，不怕困难、顽强拼搏，坚韧不拔、敢于胜利”的伟大抗洪精神，体现了民族精神的精华，丰富了时代精神和社会主义核心价值体系的内涵。这是水文化传统与新时期水利实践相结合的丰硕成果，必将永远激励着我们不断奋斗前进。

当前和今后一个时期，是全面建设小康社会的关键时期，也是传统水利向现代水利转变的关键时期。我们要把科学发展观的根本要求与可持续发展的治水思路的探索实践结合起来，把全面建设小康社会的宏伟蓝图与水利发展的长远目标结合起来，把人民群众过上更好生活的新期待与水利工作的着力点结合起来，进一步增强水利对经济社会发展和改善民生的保障能力，不断创造无愧于时代要求的先进水文化，推动社会主义文化大发展大繁荣。要深入挖掘和弘扬传统水文化的丰富内涵，努力在继承优秀水文化传统的基础上铸造先进水文化；要善于从当今时代波澜壮阔的水利实践中汲取新鲜养分，努力展现先进水文化鲜明的时代特征和强烈的时代气息，更好地适应水利发展与改革的需要；要把培育和弘扬水利行业精神作为建设先进水文化的重要任务，努力把先进水文化更好地融入社会主义核心价值体系之中，激发广大水利干部职工投身水利实践的热情和干劲。

弘扬和建设先进水文化，要坚持研究与教育相结合、普及与提高相结合、继承与创新相结合，向全行业、全社会展示水文化研究成果，普及水文化基本知识，开展水文化宣传教育，不断推动水文化建设在服务水利发展与改革中取得新的实效。我们很高兴地看到，河海大学充分发挥学科优势和学术实力，组织了一批专家、学者，从水利名人、江河湖泊、咏水诗文、城市与水、水工程、水灾害、水用具、水景观、水传说、水歌曲等诸多方面，精心梳理、深入挖掘、全面概括千百年来人类水文化的积淀，编写了《水文化教育丛书》。这套丛书系统地介绍了优秀的传统水文化，宣传了可持续发展的治水思路，展示了水利发展与改革成就，彰显了水利精神，是水利宣传的良好平台、文化传播的优秀载体。希望以《水文化教育丛书》的出版为契机，把水文化的研究和建设推向一个新的阶段，拓宽水利视野，更新治水理念，弘扬水利精神，推进传统水利向现代水利转变。同时也希望通过广泛而深入的水文化教育，呼唤全社会进一步关注水、珍惜水、爱护水，关心水利、支持水利、参与水利，共同谱写水利发展与改革的新篇章。

陈雷

二〇〇八年三月廿八日

前　言

水体是大多数风景旅游区的重要组成部分，水景观的万千姿态也赋予了我们居住的环境另一种诗情画意。海洋的浩瀚无边，河流的奔腾不息，湖泊的静谧平和，瀑布的飞琼溅玉，泉水的清澈甘醇，除了展示给人以形、色、声、态的变化之美外，也激发了人们对于生命和存在这样宏大命题的思索，孕育了中国乃至世界范围内关于水的文化或美学体系，并且衍生出了包括山水诗文、山水画和书法、园林艺术等具体的艺术形式。

因此，水景观属文化景观范畴，强调水景观的美学和精神贡献特征。水景观是以水为主体，景观水资源与人类社会哲学、思想、审美等双向作用的产物，是在人类文明进化过程中所产生的一定地域内的水景观客体与有关它的观念形态（传说、掌故、文学等）和有形实体（建筑、交通工具、服饰等）的完美统一。

本书编写的一个初衷就是希望通过选取的以国内为主、以国外为辅的一百处水景观，把具有代表性的山水画面展示给大家，提高读者对水景观的形象感知和审美情趣，培养爱国爱水的感情，从而体会到环境保护和人水和谐的重要意义。对于当代大学生而言，他们不仅要学习系统的理论知识，更要培养人文情怀和环保意识，因此有针对性地创造一个潜移默化的人文环境，把一些高深的道理寓于轻松活泼的形式之中，让他们在阅读本书的过程中不知不觉受到熏陶和教育也是作为编者的心愿之一。

水景观包括人工水景观和自然水景观。人工水景观包括园林式水景、泳池式水景、装饰式水景等；自然水景观一般包括江河、湖泊、海滨、瀑布、泉溪等景观资源。本书选取的内容主要为自然水景观。

在江河景观的选取上，主要采取三种方式：一是如果江河的某一段有相对著名的水景观则集中描写这一景观，典型的如长江三峡、虎跳峡、怒江大峡谷等；二是江河的大部分或者全部景色都很典型，并且被人们广泛认可或者有一定世界知名度，我们也就把这条江河的一部分或者大部分作为体现不同地域或人文特色的景观来写，如三江并流、钱塘江、漓江、南溪江、秦淮河、沱江等；三是依托自然水体衍生的大量的有形实体和文化印记的水景观，如水乡乌镇、水乡周庄、湘江橘子洲等。

在湖泊景观的选取上，除了上述原则外，还考虑了地域的分布和代表性。如不仅有高原湖泊洱海、泸沽湖、青海湖，高山湖泊长白山天池、镜泊湖，还有淡水湖泊鄱阳湖、五大湖、马拉维湖，咸水湖泊死海、土尔卡纳湖等；不仅有以风景优美著称的西湖、黄龙、九寨沟、千岛湖，还有以神秘现象著称的喀纳斯湖、死海、贝加尔湖；不仅有宗教胜地纳木错湖，还有革命胜地南湖等。因为湖泊的分布相对集中，适合筑城建市，经过长时期的人水互动，留下了大量的建筑、题刻、诗文、传说，有关湖泊的景观也相对集中，特色相对鲜明，所以除了描写自然风光以外，上述由水衍生的人文印记尽量收录。

在海滨景观的选取上，考虑到海水景色单一，海滨景观因为有了城市、海岛的加入才具有活力，因此选取了传统度假胜地北戴河、马尔代夫，游泳胜地青岛海滨、三亚，海水岛屿相依相生的鼓浪屿、夏威夷、蓬莱岛，还有城市和水完美融合的威尼斯，以及以大片海滩森林著称的东寨港等。

在瀑布景观的选取上，主要突出瀑布的特色，如国内外著名瀑布安赫尔瀑布、尼亚加拉瀑布、伊瓜苏瀑布、莫西奥图尼亚瀑布、莱茵瀑布、黄果树瀑布、德天瀑布，还有以奇特景色著称的九龙瀑，以柔美细腻见长的银练坠瀑布、流沙瀑布等。

在泉溪景观的选取上，力争把各种最具代表性的景观收录进来，如济南的趵突泉和珍珠泉、地热资源极其丰富的腾冲温泉群、以美丽传说闻名海内外的蝴蝶泉、沙漠奇观月牙泉、爱侣胜地鸳鸯溪等。

在本书编写过程中，樊非、王楠、周昶等为本书的资料搜集做了大量工作，也得到了王志峰、张雪刚、张秋野等的帮助，在此一并表示感谢！

希望本书能够为读者和当代大学生更好地领略水景观尽一点绵薄之力，也希望得到来自专家、读者和大学生的批评指正。

编　者

2008 年春

目　录

叁 海滨

肆 瀑布

伍 泉、溪

壹

江河

1. 富春江

——一川如画

富春江是钱塘江中游一段的别称，从萧山市的闻堰镇至建德县梅城镇的三江口，一头连着素有“人间天堂”美誉的杭州西湖，一头牵着人称“归来不看岳”的安徽黄山，贯桐庐、富阳两县，并以桐庐为界，分为上下两段，总长度达 110 千米。

素有“奇山异水、天下独绝”之称的富春江，与长江三峡、桂林漓江齐名。其间青山葱翠相拥、春水澄明如镜，水行山中，山绕水生。无论是“日出江花红胜火，春来江水绿如蓝”的艳春，“两岸绿树凝滴翠”、“翠色随人欲上船”的夏景，或是“一江流碧玉、两岸点红霜”的秋色，都有一番醉人的魅力。即便是“诸山皓然”、“寒江独钓”的冬天，也有耐人寻味的底蕴。沿江行来，灵山幻影、鹳山风光、桐山古迹、瑶琳仙境、严陵钓台、七里扬帆、阆苑石景、龙门飞瀑以及龙门古镇、孙权故里等自然、人文景致相携而至。游人或登山揽胜

或泛舟江上，如入画中。

富春江诸景中，以桐庐境段最为秀丽，而桐庐中最具代表性的则要数七里泷了。七里泷又叫七里濑、七里滩，系富春江上游河段，全长 22 千米。这里水如染，山如削，峰紧流窄，鸢飞鱼跃，有“小三峡”之称。夏日置身峡中，阴翳迷蒙，凉气袭人。雨后天霁，群山飞瀑如练，蔚为奇观。1968 年富春江电站建成之前，七里泷可谓滩险流急，行船难以牵挽，快慢要看风力，谚云“有风七里，无风七十里”。自电站建成，大坝横堵泷口，往日的险滩急流化作平湖，碧波千顷，清丽奇绝。

富春江景色之秀丽，古已闻名。早在东汉年间，就有名士严光(字子陵)和不少官宦隐居于此。之后，更有文人雅士在此览胜寻幽，挥毫泼墨。据统计，从南北朝至清代的1 500 年间，吟咏富春江山水的诗词就达 2 000 余首。其中，南朝吴均在《与宋元思书》中曰：“风烟俱净，天下共色，奇山异水，天下独绝。”唐朝韦庄称富春江“钱塘江尽到桐庐，水碧山青画不如”。宋代苏东坡亦誉之：“三吴行尽千山水，犹道桐庐景情美。”元代吴桓赞道：“天下佳山水，古今推富春。”富春江之美，不仅见于诗情，更凝于画意。遥望当年，元代画坛四大家之一的黄公望隐居富春，历时数年绘制了一“富春山居图”。这幅历史名作饱经沧桑，差点被当成富人的殉葬品化为灰烬。如今这幸存下来的、被烧为两段的画卷，分藏在大陆和台湾的博物馆中，一席画卷铺开富春美景引人遐思。然，君若身临其境，富春江又何止是画中之物。

富春江，一川如画，胜于画。

2. 楠溪江

——田园山水

楠溪江位于浙江省永嘉县境内，距温州市区23千米，与雁荡山风景区毗邻，是著名的国家级风景名胜区。

作为我国国家级风景区中唯一以田园山水风光为特色的名胜，楠溪江融天然风光与人文景观于一体，以水秀、岩奇、瀑多、村古、滩林美而闻名。

“水秀”是楠溪江的第一特色，曾被冠以“天下第一水”的美誉。楠溪江的水，美在原始古朴、野趣天成；美在纯净柔和、绝无污染。泛舟江上，透着阵阵清新的溪流柔柔地从指间划过，那清容峻茂、秀丽多姿的风光把整个身心都暖暖地包围着。随江倒影、游鱼碎石与见底的溪水、绵绵的青山层次分明，又化作一体，若真若幻。如游人兴致所及，夜游楠溪，见渔火点点，闻渔歌唱晚，受江风柔拂，聆淙淙流水，可尽抒幽情逸致，宠辱皆忘。

楠溪江的又一特色是这里星罗棋布的奇岩险峰，即所谓“岩奇”。在诸种奇岩中，最著名的有绝壁奇观太平岩，深潭凝碧三角岩，峥嵘如云十二峰以及屯兵扎营南崖寨等。这些奇岩险峰，多生幽洞，宜晴宜雨，宜歌宜赋，宜酒宜诗，其妙无穷。

幽洞伴江多生，自然少不了灵动的瀑布。“瀑多”是楠溪的第三大特色。楠溪江上游溪深源远，素湍绿潭，随处可见。山高岩峻之处，悬泉瀑布飞泻其间，百丈瀑、罗阳瀑布、北坑龙潭三折瀑，各有其形，各显其妙。远望疑是银河倾落；近观飞流冲泻，气势磅礴。

“村古”则在楠溪江的自然风光之中注入了历史文化的底蕴。楠溪江至今还遗存着新石器时代的遗址；唐、宋、元、明、清时的古塔、桥梁、路亭、牌楼和古战场，留存着以“七星八斗”、“文房四宝”和阴阳风水构建为特色的古村落，以及大批完整的百家姓宗谱、族谱等。这些弥足珍贵的历史文化遗址，可以使我们了解我国古代“耕读社会”和“宗族社会”的概貌。历史文化在这里的积淀，使楠溪江显得更为风韵独具。

“滩林美”亦为楠溪江添趣不少。楠溪江河床开阔，平坦和缓，加上江水涨落之间的反复搬运，不断加厚滩地的沉积土层，在沿江地带形成了几万亩滩地。丰厚的滩地使林木生长愈加旺盛，莽莽 3 万余亩滩林以其独有的姿采展现于楠溪江两岸。楠溪江滩林美，美在有层次，美在变化，美在和谐。这绵延数十千米的滩林，如同绿色屏障，遮隐了两岸的村落、田园、荒丘，形成以清碧潭为中心的河滩、草地、远山、近水、蓝天、白云等层次分明的景观。它不仅有四季不同的天然野趣，更有一天之中晨昏昼夜的万般变幻。坐上竹排，沿江而下，两岸滩林依次映入眼帘，从不同的方位欣赏它的身姿，感受它的变化，仿佛置身动态的山水泼墨画卷之间。

3.秦淮河

——十里珠帘

秦淮河位于六朝古都南京境内。

秦淮河分内河和外河，流入城里的内秦淮河东西水关之间的河段，素有“十里秦淮”、“六朝金粉”之誉。两岸建筑群，飞檐漏窗，古香古色，雕梁画栋，画舫凌波，加之人文荟萃、市井繁华，构成了集中体现金陵古都风貌的游览胜地——秦淮风光带。

秦淮河古称淮水。相传秦始皇东巡时，望金陵上空紫气升腾，以为王气，为了江山永续，命人挖河断龙脉，凿通方山引淮水，横贯城中。后人误认为此水是秦时所开，故称为“秦淮”。

“衣冠文物，盛于江南；文采风流，甲于海内”，秦淮风光带因其得天独厚的地域人文优势，在这“江南锦绣之邦，金陵风雅之薮”，“十里珠帘”点缀着数不尽的名胜佳景，汇集着说不完的轶闻掌故。

从南朝开始，秦淮河成为名门望族聚居之地。两岸酒家林立，浓酒笙歌，无数商船昼夜往来河上，许多歌女寄身其中，文人才子流连其间，佳人故事流传千古。六朝时，秦淮河夫子庙一带更成为文人墨客聚会的胜地，两岸的乌衣巷、朱雀桥、桃叶渡化作诗酒传于后世。乌衣巷更是六朝秦淮风流的中心，东晋时曾因聚居了王导、谢安两大望族而名满天下。南宋始建的江南贡院，成为我国古代最大的科举考场，于是秦淮逐渐恢复为江南文教中心。明清两代，是十里秦淮的鼎盛时期，富贾云集，青楼林立，画舫凌波，成江南

佳丽之地。

自古至今，许多文人墨客都留下了描写秦淮河的优美诗文。诗人刘禹锡游金陵，看着以前非常显赫而后来又成为废墟的王谢宅第，曾作《乌衣巷》慨叹这种历史变迁：“朱雀桥边野草花，乌衣巷口夕阳斜。旧时王谢堂前燕，飞入寻常百姓家。”东晋著名书法家王羲之、王献之也曾居住于此。夫子庙附近的桃叶渡，据说是王献之迎接其妾桃叶的渡口。

唐代诗人杜牧有诗写道：“烟笼寒水月笼沙，夜泊秦淮近酒家。商女不知亡国恨，隔江犹唱后庭花。”而“梨花似雪草如烟，春在秦淮两岸边。一带妆楼临水盖，家家粉影照婵娟”，这是清代戏剧家孔尚任在《桃花扇》中所描绘的秦淮河畔当时的繁华景象。

朱自清和俞平伯曾共游十里秦淮并且各自写了一篇游记散文，都以《桨声灯影里的秦淮河》为名。在他们清新优美的笔墨中，我们可以看到作者对卖艺歌女的同情与尊重，更可以看到作者对茵陈如酒的十里秦淮的喜爱与眷恋。

经过修复的秦淮河风光带，可谓是集古迹、园林、画舫、市街、楼阁和民俗民风于一体的旅游热线，极富魅力。1991 年 5 月，夫子庙和秦淮风光带被国家旅游局作为“中国旅游最好景点”之一推向国际旅游市场。

4. 钱塘江

——钱江秋涛

钱塘江是浙江省最大的河流，其发源于安徽南部黄山地区的青芝埭尖，由西向东流经14个县市，注入杭州湾，最终流入东海。桐江和富春江河段，统称富春江，闻家堰以下河口一段才称钱塘江。

"钱塘江潮"是由于天体引力和地球自转的离心力，加上杭州湾喇叭口的特殊地形所形成的特大涌潮。每年农历八月十五，钱塘江潮涌最大，是世界一大自然奇观。

钱塘观潮始于汉魏（公元1世纪至6世纪），盛于唐宋（公元7世纪至13世纪），历经2 000余年，已成为当地的习俗。古时杭州观潮，以凤凰山、江干一带为最佳处。因地理位置的变迁，从明代起，以位于杭州东北45千米的海宁盐官为观潮第一胜地，故亦称"海宁观潮"。

至观潮日，远眺钱塘江出海的喇叭口，潮汐形成汹涌的浪涛，犹如万马奔腾，遇到澉浦附近河床沙坎受阻，潮浪掀起3至5米高，潮差竟达9至10米，确有"滔天浊浪排空来，翻江倒海山可摧"之势。如此壮丽景观，世上只有两处，一是南美洲巴西的亚马逊河，一是钱塘江。而在钱塘江，不同的地段，潮景更是各有不同：驻八堡可览"交叉潮"，此处距杭州湾55千米，有一处大缺口，是观赏"交叉潮"的绝佳地点。由于长期的泥沙淤积，江中形成一片沙洲，将从杭州湾传来的潮波分成东潮和南潮两股。两股潮头绕过沙洲之后，若两兄弟般相拥而至，潮头碰撞的瞬间，激起阵阵水柱，可高达数丈。待到水柱落回江面，两股潮头已经呈十字形展现在江面上，并迅速向西奔驰。此

时，交叉点像雪崩似的迅速朝北转移，撞在顺直的海塘上，激起一团巨大的浪花，跌落在塘顶上，呈现出“海面雷霆聚，江心瀑布横”的壮观景象。

在盐官观“一线潮”，可谓未见潮影，先闻潮声。隆隆巨响早已降至，眼前却仍是一片风平浪静。直至战鼓万面齐擂，雾蒙蒙的江面上才远远地移来一条白线，有若“素练横江，漫漫平沙起白虹”。再近些，白线渐变成一堵水墙，并迅速向前推移，涌潮来到眼前，高度可愈3米，有万马奔腾之势，雷霆万钧之力，锐不可当；实为“欲识潮头高几许，越山横在浪花中”。

老盐仓的地理环境不同于盐官。盐官河道顺直，涌潮毫无阻挡地向西挺进，而老盐仓的河道，出于围垦和保护海塘的需要，建有一条长达660米的拦河堤坝。咆哮而至的潮水遇阻后，猛烈撞击堤坝，再以泰山压顶之势翻卷回头，落入西进的急流上，形成一排“雪山”，风驰电掣般地向东回奔，声如狮吼，惊天动地。这就是“回头潮”。

钱塘江大潮，白天有白天的波澜壮阔，晚上有晚上的诗情画意；看潮是一种乐趣，听潮是一种遐想。

难怪有人说：“钱塘郭里看潮人，直至白头看不足。”

5. 水乡乌镇

——梦里风景

乌镇地处浙江省桐乡市北端，西临湖州市，北界江苏吴江县，为二省三市交界之处。1991年被命名为“省级历史文化名镇”。

乌镇是个水乡古镇，镇上有修真观、昭明太子读书处、唐代古银杏、转船湾、双桥等景点，西栅老街是我国保存最完好的明清建筑群之一。乌镇又是我国现代文学巨匠茅盾故里。镇上的茅盾故居是茅盾的出生地，现为国家级重点文物保护单位。东侧的立志书院是茅盾少年读书处，现辟为茅盾纪念馆。

虽历经2 000多年沧桑，乌镇仍完整地保存着原有的水乡古镇的风貌和格局。全镇以河成街，桥街相连，依河筑屋，深宅大院，重脊高檐，河埠廊坊，过街骑楼，穿竹石栏，临河水阁，古色古香，水镇一体，呈现一派古朴、明洁的

幽静，是江南典型的"小桥、流水、人家"。石板小路，古旧木屋，还有清清湖水的气息，仿佛都在提示着一种情致，一种氛围。

如今的乌镇大致分类为传统商铺区、传统民居区、水乡风貌区、传统餐饮区、传统文化区、传统作坊区。作坊区内，竹艺、扇艺、陶艺、壶艺、文房四宝、木雕、纺纱织布等……曾在桐乡周围流行一时的手工作坊一家挨着一家。商铺区里，曾在乌镇历史上显赫一时的商铺、当铺、药铺都以原本的面貌呈现着，只不过留下了岁月刻下的累累痕迹。民居区修旧如旧，古朴淡雅的风格得到了很好的体现。文化区给游客印象最深的应该是蓝印花布"漫天起舞"的庭院，音韵铿锵的古戏台，还有幕布上的那一段皮影传说……

这样一个中国南方水乡小镇，古旧，清静，安祥而且幽静，在地图上根本找不到它的影子。那里有高高的屋檐，黑黑的窗棂，长长的青石路，窄窄的街衢，幽幽的水巷，瘦瘦的乌篷船。烟起雾落，云蒸霞蔚，草长莺飞，花开花落，流年似水。不管世事如何变迁，乌镇永远是乌镇，在这江南水乡最美的一隅，那么温润，犹如黄昏里一帘幽梦，犹如晨光中一枝摇曳的玫瑰。

6. 水乡周庄

——江南风情画

周庄，位于拥挤喧闹的上海、苏州市附近。古称摇城，原系春秋时吴国太子摇的封地。北宋当地人周迪功郎笃信佛教，舍其故宅和200亩良田给寺庙当庙产，百姓们感其恩德，遂更名为周庄。

从春秋战国起，周庄已有2 000多年历史。历代名人荟萃，曾有无数文人墨客以文学、艺术形式给小镇的历史增添了光彩。周庄主要以周庄的桥和周庄的水而声名远扬，吸引了国内外游人纷至沓来，寻幽探古。

周庄的水，源远流长。波光粼粼的"井"字形河道，构成了水乡神韵。条条水巷游人如织，条条河道轻舟荡漾。围绕周庄全镇的有澄湖、白岘湖、淀山湖、南湖以及30多条大小河流，镇上有4条主河道，因此周庄自古就有"水乡泽国"之称。总面积36平方千米的圆圆小镇，宛如漂在水面上的一片荷

叶。它四面环水，港汊分歧，湖可联络，咫尺往来，皆赖舟楫，环境幽静，建筑古朴，虽历经900多年沧桑仍完整地保存着原来水乡集镇的建筑风貌。全镇房屋沿河而筑，重脊高檐，河埠廊坊，水苑幽弄，深宅大院，古色古香，镇水一体，呈现出一派古朴、恬静、明洁的幽境。全镇60%以上的民居为明清建筑，仅有0.4平方千米的古镇有近百座古典宅院和60多座砖雕门楼。

周庄保存了14座各具特色的古桥，它们共同构造了一幅美妙的“小桥、流水、人家”的水乡风景画。周庄的桥，古意朴拙，形态各异，耐人寻味。贞丰桥畔诗韵悦耳；富安桥桥楼合璧；双桥联袂而筑，各有特色。难怪华裔画家陈逸飞一到周庄就爱上这两座桥，他回到美国完成了他的油画成名作《双桥》，这幅画使他扬名国际，同时“周庄”这个名字也插上了翅膀，飞向世界，让更多人来这里欣赏它的风采。

下雨时的周庄另有一种风情，又密又急的雨点织成一道道雨帘，直射河中，河面上激起了无数皇冠似的雨花。古老街道的青石板被雨水冲刷得宛如一面面青铜镜。在蜿蜒曲折的河道两旁的狭长石板街上和横卧在河面上苍老的石拱桥上，处处涌动着色彩斑斓的伞花，赤、橙、黄、绿、青、蓝、紫，成为周庄古镇上又一道亮丽的景致。

7.长江三峡

——人间仙境

长江上的名胜古迹举不胜举,其中尤以三峡最为出名。

三峡是指瞿塘峡、巫峡、西陵峡。它西起四川奉节白帝城,东到湖北宜昌南津关,全长193千米。长江三峡景色雄伟壮丽,被誉为大自然造就的"天然画廊"、"人间仙境"。瞿塘峡的雄伟,巫峡的秀丽,西陵峡的险峻,还有三段峡谷中大宁河、香溪、神农溪的神奇与古朴,使这驰名世界的山水画廊气象万千。这里的群峰,重岩叠嶂,峭壁对峙,烟笼雾锁;这里的江水,汹涌奔腾,惊涛裂岸,百折不回;这里的奇石,嶙峋峥嵘,千姿百态,似人若物;这里的溶洞,奇形怪状,空旷深邃,神秘莫测。三峡的一山一水,一景一物,无不如诗如画。除此以外更有大宁河的"小三峡"和马渡河的"小小三峡",这里处处葱郁苍翠,水清见底。这九峡组成一派造化天成的瑰丽风景,伴随着许多美丽的神话故事和动人的传说,令人心驰神往。

瞿塘峡两岸峰崖对峙,宛如两扇巨门,浪涛飞卷,谷内窄如走廊,峰峦连绵,仰望云天如同一线,俯视巨澜,咆哮如雷。其中诸多人文景观,如以三国遗址著称的古城奉节县;刘备托孤的白帝城;汉昭烈皇后甘夫人墓;诸葛亮为退吴兵布下的"水八阵"与"旱八阵"都在这里。最令人称奇的是瞿塘峡的"瞿塘栈道"。在瞿塘峡北岸陡峭的悬崖上,古人仅靠锤和钻等简单

工具施工，其难度可想而知。从栈道往下看是滔滔的长江，往上看是直入云霄的绝壁。这是奉节县通往大溪镇唯一的陆上通道。

巫峡西起巫山县的大宁河口，东到湖北省的官渡口，全长约45千米。峡中两岸青山连绵起伏，群峰壁立如屏，峡谷迂回曲折，幽深秀丽。其中最著名的是巫山十二峰。这十二峰分别是：长江北岸的登龙、圣泉、朝云、望霞（又名神女）、松峦、集仙；长江南岸的净坛、起云、上升、飞凤、翠屏、聚鹤。其中以神女峰最为俏丽，令世人神往不已，人们往往把它看作是巫山的象征。

西陵峡西起秭归县香溪口，东止宜昌市南津关，全长约76千米，是长江三峡中最长的峡谷，以险峻闻名于世。两岸有昭君故里香溪，屈原故里秭归和以风光绮丽著称、又盛传野人故事的神农架。峡中险峰夹江壁立，峻岭悬崖横空，奇石嶙峋，银瀑飞泻，古木森然，水势湍急，浪涛汹涌，景色万千。兵书宝剑峡、牛肝马肺峡、崆岭峡，航道狭窄，怪石横陈，水流紊乱湍急。进入庙南宽谷，然后到东段峡谷，这里有美丽奇特的石灰岩溶洞风光，三游洞、白马洞、石龙洞过后就是葛洲坝和富饶的江汉平原。

大宁河小三峡南起巫山县，北至大昌古城，包含龙门峡、巴雾峡和滴翠峡，全长约60千米。其中龙门峡仅约3千米，峡口两岸青山相对，峰峦耸峙，形若铁门，龙门之名就来源于此。峡内山峰高耸如云，悬崖上翠竹垂萝。巴雾峡长约10多千米，峡内山高谷深，山的形状景色颇像天然雕塑。滴翠峡是小三峡中最长的一段峡谷，20千米长的峡谷显得幽深、秀丽。峡内群峰竞秀，绝壁连绵，无处不点苍，有水皆飞泉，“滴翠”二字甚为贴切。

8. 沱江

——淡雅素色的丹青画卷

沱江是中国四川省东部的一条河流，为长江的一级支流。古时候，人们把蛇称为“沱”，这条河弯弯曲曲的像蛇一样，所以也就称为沱江。

沱江可以说是凤凰古城的母亲河。凤凰古镇依山傍水，山虽不如桂林奇秀，水却更比漓江多情，可以说凤凰是一个水性的小城，而其中的点睛之“水”，便是沱江了。山因水秀，城因水灵，如没有这沱江水，凤凰也不会有如此的灵性了。

沱江，如同一幅淡雅素色的丹青画卷，在我们的面前徐徐展开。沱江两岸，乌篷里的船家、吊脚楼里的姑娘都栖水而居。三五成群欢声笑语的浣衣妇女，边撑竿撒网边放声高歌的土家阿哥，背负竹篓踏石而过的年迈阿婆，还有江边日夜流转的筒车和水中悠闲休憩的水牛，共同构成了一幅最美丽、也最真实的生活场景。生活在这里的人，少时在河里玩耍、中年在河上谋生、老了在河边休憩，河水串起了他们一生的记忆。在沈从文先生的

文字和黄永玉先生的画作里，出现最多的便是这条清清浅浅的小河。

古城凤凰，山水相依，苍郁青山作冠，碧水沱江为带，像一个婉约的美人，在一片青山绿水的环抱下，妖娆地守着一弯小河。小城凤凰，到处能读到历史的沧桑。凤凰的小巷是由青石板铺就的，这一块块从山里背来的青石板，纵横交错成小城的血脉，已被人们脚板打磨得油光发亮的青石板，无疑是小城岁月的见证。

有了沱江水，一定会有吊脚楼。江岸两侧，全是高高低低、错落有致的吊脚楼，一排排扎根岸边，探出身子似要拥抱沱江。木柱作架纵纵横横的杉木板组装，支撑起富有湘西民族特色的吊脚楼，叠叠仄仄的黑瓦把所有的相依相偎、高低错落的楼房连成一片。装饰着木栏杆和雕花的窗户，挑出一串串各式各样的红灯笼，倒映在沱江清澈的波光里，那和谐、淡雅的意境，只有从唐诗宋词和水墨山水画中才寻得见。在缓缓行进的船中，仔细观赏那倚河而搭、连绵不断的吊脚楼，根根木柱撑起一栋栋小巧玲珑的房子，撑起了一个个甜蜜温暖的家。偶有一扇朝江的窗户撑开，刹那间给了人无数的奇思梦想。这恐怕正是生活在现代的人们所要追寻的一份不加雕琢的质朴，一个山水之间自然真实的生活，一种需要静下心来细细品味的感受。

如果说江南的村落是诗意委婉的丝竹，沱江则质朴得有些粗砺，如同苗族阿妹随口唱出的山歌。而这山歌，至今在人们耳边清晰地萦绕。

9. 湘江橘子洲

——潇湘小蓬莱

橘子洲位于湖南省长沙市岳麓区境内，是湘江的一个江心小岛，形成于晋惠帝永兴二年(公元305年)，距今已有1 700多年的历史。它南北长5千米，东西宽100余米，四面环水，宛如一条巨型游轮，泊定江心。

远在唐代，这里就盛产南橘，远销江汉等地。杜甫曾为此写下了“桃源人家易制度，橘洲田土仍膏腴”的诗句。橘洲，自古以来便是湖南省著名的旅游胜地。古潇湘八景之一的“江天暮雪”就在这里。宋肖大经的《肖夏诗》称誉橘洲为“小蓬莱”，名胜水陆寺中的“拱极楼中，五六月间无暑气；潇湘江上，二三更里有渔歌”的名联至今仍脍炙人口。

这里，春季嫩柳低垂，随风飘拂；夏季百花争艳，芳香四溢；秋季桔红果熟，丹桂飘香；冬季白雪皑皑，银雕玉琢。一年四季，景色各异，引人入胜。天心阁雄踞古城最高处，楼阁高耸，绿树成荫，登阁远眺，“四面云山皆到眼，万家灯火最关心”。

橘子洲是一帧展示风情的画。它西望层峦叠翠的岳麓山，与岳麓书院、爱晚亭相邻；东瞰湘江风光带，尽览都市繁华。从西向东，山、水、洲、城融为一体，似流动的画，如放大的盆景。游客登洲，听渔舟唱晚，观麓山红枫，看天心飞阁，赏满树橘红，吟先贤辞赋，其乐融融。

橘子洲是一座承接历史的桥。它浸染着湖湘文化，形成了浓厚的历史底蕴。南宋朱熹、张轼往来于岳麓书院，与城南书院讲学过江的朱张渡，诠释着800年前湖湘子弟求学的盛况；水陆寺、拱极楼讲述着元代宗教文化的兴盛；曾国藩操练水上湘军的号声依稀回荡在橘洲上空；饱经风霜的外国领事馆、高级别墅区则见证着长沙开埠后的历史；毛泽东站在橘子洲头发出的“问苍茫大地，谁主沉浮?”的天问，更改写了中国历史的进程。

1982年7月正式开放的橘洲公园，现占地14公顷，有毛泽东诗词碑、颂橘亭、枕江亭、揽岳亭等景点。公园以成片桔园为绿化主体，杂植名贵花木，风景秀丽，环境清幽，融绿化、美化、香化、净化为一体，观山、观水、观桔、观花各有千秋。

橘洲，有人说它是一幅画，桃李争春，渚清沙白，橙黄桔绿，素裹银装。

橘洲，有人说它是一首诗，来往于天流天地外，天下古今人物是非中。发思古幽情，主大地沉浮。

橘洲，更是镶嵌在湘江中流的绿色明珠，是长沙人民的骄傲。

10. 虎跳峡

——长江天堑

虎跳峡在由丽江去香格里拉的路上，位于中甸东南部，距中甸县城105千米。湍急的金沙江流经石鼓镇长江第一湾35千米之后，忽然掉头北上，从哈巴雪山和玉龙雪山之间的夹缝中穿了过去，形成了世界上最壮观的大峡谷，峡谷中最窄的地方就是著名的虎跳峡景观。相传虎可以蹬踩江中的一块巨石，跳过金沙江。虎跳峡分为上虎跳、中虎跳、下虎跳3段，共18处险滩，一向以“险”而闻名天下。

这里首先是山险。峡谷两岸，高山耸峙。东有玉龙山，终年披云戴雪，银峰插天，主峰海拔高达5 596米，山腰怪石嵯峨，古藤盘结，山峰壁立，直插江底，虎啸猿啼，狼豹出没；西有哈巴雪山，峥嵘突兀，山腰间有台地，山脚为陡峻悬崖。西岸山峰，高出江面3 000米以上。国内三峡世称壮观，它的江面与峰顶高差仅1 500米；美国的地狱峡谷，世界著名，最大高差也仅2 400米，虎跳峡的深邃，可以想见！虎跳峡不仅深，而且窄，许多地方，双峰欲合，如门半开；身入谷中，看天一条缝，看江一条龙；头顶绝壁，脚临激流，令人心惊胆战。

其次是水险。由于山岩的断层塌陷，造成无数石梁跌坎，加之两岸山坡陡峻，岩石壁立，山石风化，巨石常崩塌谷底，形成江中礁石林立，犬牙交错，险滩密布，飞瀑荟萃。从上虎跳至下峡口，落差达210米，平均每千米落差14米。江流特急，不少段落每秒达6至8米，因而江水态势瞬息万变，或狂驰怒号，石乱水激，雪浪翻飞，或漩涡漫卷，飞瀑轰鸣，雾气空蒙，构成世上罕

见的山水奇观。

“上虎跳”两山夹峙，形若两扇铁门，当中立着青黑色虎跳石，似凶神恶煞的把门将军。金沙江从它的两侧越过断崖，凌空飞下，以雷霆万钧之力冲向崖底，又弹跳而上，形成万朵雪白晶莹的浪花，旋即化作银雨乳雾，润湿了周围的岩石草木。断崖之下，千波万涛，沸沸扬扬，回旋翻滚，如千条蛟龙搅湖闹海，似万匹银马奔腾驰骋，然后乘风而去。面对这壮丽的图景，这磅礴的气势，怎能不令人浩气溢怀！清代雍乾年间的云南诗人孙髯翁，在《金沙江》一诗中写道：

劈开善城斧无痕，流出犁牛向丽奔。
一线中分天作堑，两山夹斗石为门。

再往前，到“中虎跳”。这里褐崖排空，或直刺青天，或斜扑江口，宽阔浩荡的江水遇到危崖的挤压与阻拦，似乎变得怒不可遏，它聚集力量，向崖石不断发起冲击，狂涛汹涌，飞瀑腾空，空谷轰鸣，声震山谷。江底惊涛裂岸，崖头山泉喷泻。当游人在哈巴雪山腰，沿着壁间蹬道小心攀行时，常常会遇到飞泉流瀑，从你顶上掠过，犹如进入水帘洞中。

从丽江市大具乡进峡，下平台，沿小路绕至山脚，就可到达下虎跳。下虎跳两岸危崖壁立，在30来米宽的江面中，还屹立着四五米高的虎跳石。江水从两边倾泻而下，犹如猛虎下山，风驰电掣，水花迸射，山谷轰鸣，蔚为壮观。

虎跳峡谷天下险，这虽给航行带来不便，但这个“险”中却蕴藏着一种美，一种摄人心魄的壮美，吸引了国内外游客纷纷到此寻幽探险。

11. 长江第一湾

——山萦水绕“小江南”

长江第一湾位于迪庆藏族自治州香格里拉县城南部沙松碧村与丽江石鼓镇之间，海拔1 850米，距香格里拉县城130千米。万里长江从“世界屋脊”青藏高原奔腾而下，自巴塘县城境内进入云南，与澜沧江、怒江一起，在横断山脉的高山深谷中穿行，到了香格里拉县的沙松碧村，突然来了个100多度的急转弯，转向东北，形成了罕见的“V”字形大弯，形成了“江流到此成逆转，奔入中原壮大观”的天下奇观，人们称此为“长江第一湾”。在纳西语中，这里又名“刺巴”，意为虎啸处或虎族之花。

据地质资料表明，早在第四纪阿尔卑斯运动前，长江水是沿着横断山脉向南奔流的。后因第四纪阿尔卑斯——喜马拉雅新构造运动，使石鼓镇南部抬升为高山，迫使江流改道，才实现了万里长江源流由南向东的伟大转折，成为发祥中华文明的母亲河。

长江第一湾山萦水绕，景色如画，江流开阔平缓，江边柳林如带，四周有层峦叠嶂的云岭山脉绵延环抱，层层梯田盘绕山坡，与平畴沃野、村落瓦舍相连，素来享有“小江南”的美誉。“山连云岭几千叠，家住长江第一湾”，纳西族学者范义田先生所撰的这幅对联，生动地刻画出长江第一湾的形胜之处和作者对它的挚爱之情。

长江流至沙松碧一带，水势宽衍，江水清幽，形成了观看长江第一湾落日的极好处所。登临沙松碧村后方的小山，长江第一湾尽收眼底。春天，沙

松碧的万顷平畴之上，油菜花开，金黄耀眼，映得半江碧黄，斑斓无比，十里之外，即闻花香。渔舟往来于青江之上，渔网抛撒处，金珠飞溅，景色奇美。如此景色，可以说是长江在云南最壮美的地方。

沙松碧的对岸，便是历史名城——石鼓镇。这神奇的地方，有许多美丽的传说，相传木天王曾在这一带藏有宝物，并留有一首诗："石人对石鼓，金银万万五，谁能猜得破，买下丽江府。"诗中所言的"石人"，即是在沙松碧村以北约一里处的江边人形岩石，这个岩石只有在江水枯季方能看到。

长江第一湾不仅是丽江的重要风景名胜区，而且还是连接虎跳峡、老君山、梅里雪山以及三江并流等地的枢纽，是历史上著名的战略要地。据说，诸葛孔明"五月渡泸"，忽必烈"革囊渡江"也都是选择此处。而据《元史·地理志》等史书记载，这里还是元代丽江路宣抚司的最早驻地，是古代南方丝绸之路及丽江茶马古道上的要津和南下大理、北进藏区的战略要地。1936年4月，贺龙率领红二方面军，便是在这里渡江北上，留下了"贺龙擂石鼓，江中红旗舞"的传说。

12. 漓江

——山水画廊

桂林美，最美的是漓江。它发源于桂林东北兴安县的猫儿山，流经桂林、阳朔，至平乐县恭城河口，全长170千米。由桂林至阳朔84千米的漓江，像一条青绸绿带，盘绕在万点峰峦之间，奇峰夹岸，碧水萦回，削壁垂河，青山浮水，风光旖旎，犹如一幅百里画卷。

桂林市区至黄牛峡可以看做漓江的第一部分，这里两岸奇峰林立，城镇、农村、田园错落分布，景观多样，是观赏远山近水与人文民风的佳处，构成了桂林山水画卷的开头部分。这一景区的主要景点有象鼻山、斗鸡山、净瓶卧江、奇峰林立、父子岩、龙门古榕、大圩古镇、磨盘山等。

黄牛峡至水落村一段，夹岸石山连绵不断，奇峰围峦映带，是漓江风光的精华所在，构成画卷的主体部分。主要景点有望夫石、草坪帷幕、冠岩水府、半边渡、鲤鱼挂壁、浪石风光、童子拜观音、八仙过江、九马画山、青峰倒影、兴坪佳境等。诸多景点中，冠岩水

府、九马画山、兴坪佳境最令人兴奋，令人陶醉。

水落村至阳朔，两岸土岭青葱，翠竹、茂林、田野、山庄、渔村随处可见，给画卷添上了幽美的田园色彩。

漓江风光的美，不仅充分展现了“山青、水秀、洞奇、石美”的特点，而且还有“深潭、险滩、流泉、飞瀑”的佳景。同时在不同的季节，不同的气候，漓江有着它不同的神韵。晴天的漓江，青峰倒映特别迷人。但烟雨漓江，赐给人们的却是另外一种美的享受：细雨如纱，飘飘沥沥，云雾缭绕，似在仙宫，如入梦境。

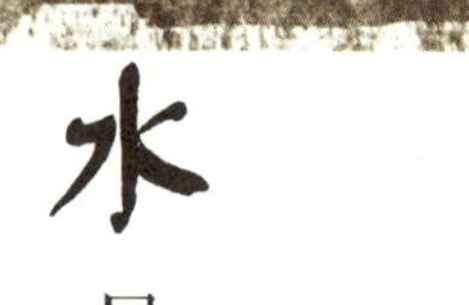

13. 万泉河

——御河

万泉河位于中国海南岛，是海南岛第三大河。万泉河发源于五指山和黎母山两源合口，流经琼海，滋养了琼海肥沃的土地，浩浩荡荡奔到博鳌流入南海。碧绿的河水、翠绿的河岸、文明的村落、纯朴的百姓，构成了一幅幅如诗如画的美景，称之为生态河、绿色河一点都不为过。

要体会万泉河水的碧绿清澈和两岸葱郁的林木，到万泉河上游漂流是最好的选择。它的上游河谷狭窄，水流湍急，滩险浪高，正是漂流的理想场所。万泉河漂流要经过九道险滩。当地俗语说："浅滩""清滩""水秧滩"，又急又险属"长滩"；"白沙"过后转"玉芳"，"拉蓬"对过是"高镰"；最后一滩叫"加秀"，过了"加秀"到会山。第一道滩"浅滩"一如其名，滩不算长，浪也不算大，对于初次漂流的人来说，可称得上是"热身运动"。接踵而来的清滩、水秧滩、长滩、白沙滩，一改万泉河水的平静，湍急的水流卷起层层波浪，橡皮艇忽而被高高抛起，忽而重重跌落，忽而又冲向陡立的峭壁。有惊无险的险滩过后，水势趋于平缓，万泉河中下游的田园风光渐渐映入眼帘。漂流万泉河，既有惊时穿激流越险滩的激情澎湃，又有缓时两岸风光尽收眼底的诗情画意。游客乘橡皮艇顺流而下，有落差各异的激流险滩；有神形绝妙的奇峰异石；有银河奔泻的飞流瀑布；有椰竹掩映的苗寨村舍。河中晶莹剔透的鱼虾欢跃；河畔石柳红白花朵怒放；蝴蝶翩翩、岩燕飞翔、野鸭游弋、山鸟啾鸣，与两岸古朴、善良、勤劳耕作的苗寨

居民组成一幅美妙的山野图画，令游人疑似置身桃花源中，恍若步入人间仙境。特别是热带植被葳蕤葱郁，橡胶滴翠，槟榔挺秀，一株株石柳生长在石头缝隙中，顽强地承受着河水的冲刷。冬天来临，一簇簇石柳花竞相绽放，红色、紫色鲜艳夺目。水平如镜的万泉河，波光粼粼，温情万千。夕阳西下，椰林田畴，沙滩奇石，岛屿温泉，农人村舍，此刻全都披上了一层金色。

万泉河历史悠久，传说优美，文化深厚，民风淳朴。传说万泉河原名“多河”。元朝武宗皇帝太子图贴睦尔因“将构异图”被放逐琼州，绅士王官忠厚待之，常从太子游览多河，饮酒消愁，“为之出三百金，以聘青梅与之完婚”。公元1324年，太子被召返京，王官率民于多河畔相送，齐呼“太子万全”、“一路万全”。1328年，太子即位为文宗皇帝，于1329年诏文封王官为南建知，以报当年救主之恩，并将“多河”命名为“万泉河”，以报百姓“万全”相送之情。文宗皇帝回京后，日夜思念万泉河优美的自然生态与纯朴善良的人民，为此在北京命名了一条“万泉河路”，并将现在北京大学旁边的河流命名为“万泉河”。

这个传说诠释了万泉河旅游新的概念，它不仅是一条生态河，也是一条“御河”，更是一条文明河。人们游览万泉河，正是顺着当年文宗皇帝游过的河道，观赏两岸原始的自然风物，回忆万泉河悠久的历史，感受两岸善良纯朴的百姓与家园文明，从而体验与造物同体、与天地同在的情感。

14. 怒江大峡谷

——世界第一大峡谷

滇西北位处欧亚和印支两大板块结合部，这独特的构造形成了横断山大峡谷地带，由北向南，巍峨高耸的碧罗雪山、高黎贡山、担当力卡山与奔腾的澜沧江、怒江、独龙江相间构成了深切割裂的大峡谷——怒江大峡谷。它以无可匹敌的长度、深度和险峻雄冠世界大峡谷之首。

走进怒江大峡谷，你就来到了世界上最长、最神秘、最美丽险奇和最原始古朴的东方大峡谷。怒江大峡谷山高、谷深、水急，两岸白花飘香，山腰原始森林郁郁葱葱，冬春两季冰雪覆盖，景色如画。峡谷南北走向，比科罗拉多大峡谷长。科罗拉多大峡谷从支流巴利亚河口起到米德湖，全长也不到440千米。而怒江大峡谷单云南段从龙陵的老卡起到贡山的丙中洛，就足足有600千米，西藏境内还有多长，无法精确统计，从地图上看，最少也有四五百千米，两段加起来超过了1 000千米，是科罗拉多大峡谷的两倍多。怒江大峡谷也远深于科罗拉多大峡谷。科罗拉多大峡谷最深处达1 830米，而怒江大峡谷深度都在2 000米以上，大多数地段突破了3 000米。再往北，太子雪山海拔6 054米，梅里雪山海拔6 748米，峡谷更深了。

怒江两岸，尽是高山夹峙、峭壁千仞、危岩嶙峋，不少江岸都是垂直的石壁。据说怒江因谷深流急、水声咆哮如怒吼得名；又说因怒江两岸古代有怒人移民居住，故而得名为怒江。抗日

战争时期大名鼎鼎的"驼峰航线"就从这里穿过。高黎贡山和碧罗雪山夹着水流汹涌的怒江，群峰雄峙，横亘千里，其间的怒江奔腾咆哮，沿江多急流、险滩、峡谷、溪流、瀑布、翠竹、绿林，云雾拥山，景色壮丽。比较有名的景观有双纳洼地嶂峡、利沙底石月亮、月亮山、马吉悬崖、丙中洛石门关、怒江第一湾、腊乌崖瀑布、子楞母女峰、江中松等。

沿怒江的泸水、福贡、贡山等几县境内生活着傈僳族、怒族、独龙族、白族、藏族等 12 个风情各异的民族，还有米俄洛新石器遗址、吴符岩画等文物古迹。

15. 三江并流

——世界物种基因库

“三江并流”是指：萨尔温江的上游怒江、湄公河的上游澜沧江、长江的上游金沙江这三条发源于青藏高原的大江在云南省境内自北向南并行奔流170多千米，穿越担当力卡山、高黎贡山、怒山和云岭等崇山峻岭，形成世界上罕见的“江水并流而不交汇”的奇特自然地理景观——“三江并流”。其间澜沧江与金沙江最短直线距离为66千米，澜沧江与怒江的最短直线距离不到19千米。

“三江并流”地区是世界上蕴藏最丰富的地质地貌博物馆。4 000万年前，印度洋大陆板块与欧亚大陆板块大碰撞，引发了横断山脉的急剧挤压隆升、切割，高山与大江交替展布，形成世界上独有的三江并行奔流170千米的自然奇观。“三江并流”景区内高山雪峰横亘，海拔变化呈垂直分布，从760米的怒江干热河谷到6 740米的卡瓦格博峰，汇集了高山峡谷、雪峰冰川、高原湿地、森林草甸、淡水湖泊、稀有动物、珍贵植物等奇观异景。景区有118座海拔5 000米以上、形貌迥异的雪山。与雪山相伴的是静立的原始森林和星罗棋布的数百个冰蚀湖泊。海拔达6 740米的梅里雪山主峰卡瓦格博峰上覆盖着万年冰川，晶莹剔透的冰川从峰顶一直延伸至海拔2 700米的

明永村森林地带，这是目前世界上最为壮观且稀有的低纬度低海拔季风海洋性现代冰川。千百年来，藏族人民把梅里雪山视为神山，恪守着登山者不得擅入的禁忌。

“三江并流”地区被誉为“世界生物基因库”。由于“三江并流”地区未受第四纪冰期大陆冰川的覆盖，加之区域内山脉为南北走向，因此这里成为欧亚大陆生物物种南来北往的主要通道和避难所，是欧亚大陆生物群落最富集的地区。这一地区占我国国土面积不到0.4%，却拥有全国20%以上的高等植物和全国25%的动物种数。目前，这一区域内栖息着珍稀濒危动物滇金丝猴、羚羊、雪豹、孟加拉虎、黑颈鹤等77种国家级保护动物和秃杉、桫椤、红豆杉等34种国家级保护植物。每年春暖花开时，这里绿毯般的草甸上、幽静的林中、湛蓝的湖边，到处是花的海洋，可以观赏到20多种杜鹃，近百种龙胆、报春及绿绒蒿、马先蒿、杓兰、百合等野生花卉。因此，植物学界将“三江并流”地区称为“天然高山花园”。

三江并流的形成，几乎可以说是一部地壳演化的历史教科书。丰富多彩的人文资源、美丽神奇的自然景观、参差多态的生物资源使三江地区成为全世界独一无二的壮丽景观。4 000万年前沧海桑田的变迁，造就了今日三江并流的宏伟与神奇。雄奇、险峻、幽深、秀丽、神秘，这片造物主精心缔造的土地，带给人梦境般的独特感受，仿佛是千万年苍茫岁月留给后人的无声诉说。

16. 额尔齐斯河

——大漠水乡

额尔齐斯河是我国唯一流入北冰洋的河流，它源出我国阿尔泰山西南坡山间两支源头，在我国境内的河段位于新疆境内。它自东南向西北奔流出国，流入哈萨克斯坦境内斋桑湖，再向北经俄罗斯的鄂毕河注入北冰洋。

额尔齐斯河沿岸风光壮美，又因“金山”而有“银水”之美称。额尔齐斯河河谷宽广，水势浩荡，水量仅次于伊犁河，居新疆第二位。河床中巨砾迭瓦，银波翻腾，河曲异常发育。下游的大支流布尔津河和哈巴河的河床中，水滩林立，碧水茫茫，河谷中湖沼密布，水草丛生，阡陌相连，绿树成荫，呈现一派“大漠水乡”的壮丽图景，颇有非洲大河的风采。

河两岸的河谷次生林和河漫滩草甸宛若一条绿色飘带，镶嵌在荒漠戈壁上，别具一番情趣。其中北屯河段的河谷次生林最为茂密，绵延成一片绿色海洋。额尔齐斯河两岸生长着上百种杨树，有额河杨、胡杨、苦杨、银白杨、青杨、黑杨以及白杨等品种。值得一提的是世界五大杨树派系中，有四大派系（白杨、胡杨、青杨、黑杨）都在这里出现了，尤其是欧洲的黑杨，因数量极少，非常珍贵，素有“杨树基因库”之美称。

这里的动物也相当活跃，常见的有盘羊、草兔、水獭、野猪等，还有花蛇等爬行动物。高大挺拔的杨柳以及浓密的芦苇丛，为鱼类和水禽的生存繁衍提供了优良的环境。这里常见的淡水鱼种有长领白鲑、小体鲟、哲罗鲑、白斑狗鱼、拟鱼鲳等十余种。而活泼可爱的兰点额、灰伯劳、红尾鸲、欧夜鹰和黄胸等鸟类也快乐地在此安家。可以说整个大河流域就是一座

完整且生机盎然的生物圈，它如同一条彩带镶嵌在荒凉的沙漠戈壁上，格外耀眼、格外美丽。

河的东岸，在一片戈壁荒漠中有一个五彩缤纷的世界，那就是以怪异、神秘、壮美而著称的“五彩滩”。千百年来，由于地壳的运动，在这里形成了极厚的煤层，几经沧桑，覆盖地表的沙石被风雨剥蚀，使煤层暴露，在雷电和阳光的作用下燃烧殆尽，就形成了这光怪陆离的自然景观。五彩滩分布面积3平方千米左右，它色彩绚烂、形态诡异。在宽阔的河滩上，高耸的“山峰”、幽深的“峡谷”、错综的“街道”、纵横的“沟壑”，在夕阳下显得斑斓而又神奇，一切都沐浴在柔和的光线中，迷离而虚幻。

五彩滩一河两岸，南北各异。南岸，有绿洲、沙漠与蓝色的天际相接，风光尽收眼底。这里生长茂盛的树林与北岸寸草不生的彩岩形成天然反差。北岸，山势起伏、颜色多变，由激猛的河流侵蚀切割以及狂风侵蚀作用而共同形成。由于河岸岩层抗风化能力的强弱程度不一而形成了参差不齐的轮廓，这里的岩石颜色多变，且在落日时分的阳光照射下，岩石的色彩以红色为主，间以绿、黄、白、黑及过渡色，色彩斑斓、娇艳妩媚，号称是“新疆最美的雅丹地貌”。

17. 塔里木河

——绿色生命线

在干燥的塔里木盆地的北部，发育了一条中国最长的内陆河——塔里木河，它仅次于伏尔加河，为世界第二大内陆河。属于塔里木河水系的河流几乎包括整个塔里木盆地，它是新疆南部一条重要的河流。

“塔里木河”是维吾尔语的汉语译名，是河流汇集的意思。它被群山环抱，流域内气候干燥，雨量稀少。但是却以古代神秘的楼兰古国和成片的胡杨林风光著称于世。

在罗布泊的西边，有一个著名的古“楼兰国”。当时那里果木成片，牛羊肥壮，农业发达，是“丝绸之路”上一个商贾往来络绎不绝的地方。据说，张骞、班超、玄奘和意大利的马可·波罗都曾到过这里。后来，由于塔里木河改道流入南面的台特马湖，碧绿的农田全被风沙吞没，茂密的果树只剩下干枯的树干，昔日遍地的牛羊不见了，繁荣昌盛的“楼兰古国”至今仅留下几处残墙断壁。

在气候干燥的塔里木盆地，慷慨无私的塔里木河用自己宝贵的“奶汁”滋润着两岸的土地，哺育着两岸的人民。从上游到下游，长河两岸，绿洲片片，渠道纵横。这里棉桃压枝，朵朵如云；各园瓜果，芳香扑鼻。更加奇特的是那沿河两岸延续不断的胡杨林，像一条绿色的长廊，给荒漠增添了鲜丽的艳姿。

塔里木盆地的天然胡杨林共有 28 万公顷，这在世界干旱荒漠地带中是独一无二的。棵棵胡杨，拔地而起，树干粗得可数人合抱。浓密枝叶形成的大树冠，活像一把巨大的遮阳伞。有的树上藤条缠绕，上下垂挂，恰似绸带。著名诗人郭小川曾写过这样的诗句：

谁到过万里沙漠，谁知道路远。
谁走过茫茫戈壁，谁见树心甜，
千里戈壁一棵树，就是世外桃园。

如果人们长途跋涉从满目荒凉、死一般寂静的大沙漠深处走出，进入塔里木河两岸绿荫浓密的胡杨林中，会顿觉空气清新，恬静爽透，真正体验到诗中之情。

塔里木河两岸的原始胡杨林还是野生动物的天然乐园。成群结队的骆驼、马鹿在这里自由驰骋，安然觅食。大批的黄羊、野猪、狐狸、草兔、田鼠和各种猛禽、小鸟在这里安家落户，过着食物丰盛的生活。

贰

湖泊

18. 兴凯湖

——静谧与奔腾的交织

兴凯湖是中国陆地边境地区最大的淡水湖，面积 4 380 平方千米，位于黑龙江省鸡西市境内，是中国、俄罗斯的界湖，南属中国(1 080 平方千米)，北属俄罗斯。湖水从东北方溢出，最后流入乌苏里江。在满语中，“兴凯”的意思即为水从高处流往低处的地方。

一提到湖水，人们脑海中呈现出的，或是水平如镜、波澜不惊的静谧，或是波浪翻滚、水光粼粼的壮美。而在兴凯湖中，水波不兴与波浪滔天这两种景致却同时呈现了。

兴凯湖由大兴凯湖和小兴凯湖两部分组成，两部分虽然距离很近，但景观却迥然不同。站在大、小兴凯湖之间的新开流水闸上向大兴凯湖眺望，只见湖水连天，波光粼粼，巨大的浪花冲击着湖畔的沙冈。如遇大风，湖水掀起的浪更高、更大，实有一种置身大海之滨的感觉；而水闸另一侧的小兴凯湖，水则是静悄悄的，水面平如明镜。这两个湖泊一动一静的奇观，令人叹为观止。

此等奇观的玄机，在于大小兴凯湖之间绵延着一处长达 100 多千米的天然沙冈，沙冈上密密地长满了当地特有的兴凯赤松，形成了一个天然屏障。因此，当北风从俄罗斯方向吹来之时，大兴凯湖即显出一派波浪翻涌的景象，而风到了小兴凯湖一边，由于兴凯赤松的阻隔，便已是强弩之末，无力兴风起浪了。

兴凯湖是一座水源不断的淡水湖，几十条大小河流源源不断地向湖里注入，造就了这里良好的自然生态环境。春天，冰消雪融，兴凯湖的冰面开始破裂，形成大小不一的冰排，漂浮于水中，这冰排在湖风的吹动下互相撞击，堆成一座座"冰山"，间或有渔船在"冰山"之间穿行，宛若周游南极一般。春夏之交，兴凯湖十几米长的湖岸上，杏花竞相开放，粉红一片，娇媚无比。兴凯湖中还生长着许多荷花，每年夏季，这里便成了荷花的世界。在世界湿地中，像这样如此大面积的野生荷花群是极为少见的。而此处最引人注目的，还是被称做北大荒的湿地。总面积22万多公顷的兴凯湖湿地是世界上少有的面积广阔、极少污染、物种多样的湿地之一。现在，它已被列入国际重要湿地名录。

优越的湿地环境使这里成为众多水禽的天堂。每年春、秋两季，成千上万只候鸟从越冬地北迁或从繁殖地南迁时，都要在此停歇、觅食。据统计，兴凯湖地区的鸟类多达180多种，其中迁徙鸟150种，留下的鸟类也有30余种，是黑龙江省主要珍禽繁殖地之一。每年三四月份，是候鸟迁徙的高潮期，而此时也是兴凯湖候鸟最多的时期，数万只鸟儿齐聚此处，湖边月牙形的沙滩成了它们尽情嬉戏的乐园。

兴凯湖，百鸟的鸣啭和波浪的澎湃共同合奏着一曲空灵之音。

19. 长白山天池

——我国最深的湖泊

长白山天池又称白头山天池，坐落在吉林省东南部，是中国和朝鲜的界湖，湖的北部在吉林省境内。因为它所处的位置高，水面海拔达 2 189 米，所以被称为“天池”。天池古有“图们泊”之称，那是万水之源的意思，是松花江、鸭绿江和图们江三条大江的源头。而这三条大江，就是滋润东北大地的主要水系。

天池呈椭圆形，平均水深 204 米，据说中心深处达 373 米。在天池周围环绕着 16 座山峰，天池犹如镶嵌在群峰之中的一块碧玉。天池湖的美体现在它的清幽、神奇、恒温和气候奇幻上。

天池湖的水深幽清澈，像一块瑰丽的碧玉镶嵌在雄伟的长白山群峰之中，柔美的天池上空白云缭绕，群峰环抱的池面五彩斑斓，蔚为壮观。游览

天池的黄金季节在盛夏。在万里无云、碧空如洗的日子里，人们站在天池边上，但见波平如镜，倒映出16座山峰的影子和头顶上的蓝天，山水相连，水天一色，使人浮想联翩。

天池的特别之处和神奇之处在于，它只有出水而没有入水，却千年不绝地流淌着。古人说它的水来自海上，故又称“海眼”。

史料记载天池水“冬无冰，夏无萍”，夏无萍是真，冬无冰却不尽然，冬季冰层一般厚1.2米，且结冰期长达六七个月。不过，天池内还有温泉多处，形成几条温泉带，长150米，宽三四十米，水温常保持42摄氏度，隆冬时节热气腾腾，冰消雪融，故有人又将天池称为“温凉泊”。

天池上空气候多变，云、雾、雨、雪把天池不仅装点得美丽动人，而且更加虚幻神秘，迷迷茫茫。尤其是在盛夏季节，风雨不定，变化频繁，有时一日之内，甚至一小时之内就可能发生几次变化。刚刚还是骄阳直射、焦灼烤人，忽然间又狂风大作、黑云滚滚、电闪雷鸣、大雨倾盆，山峰、湖面顷刻间被淹没在风雨之中。雨后天池景色格外迷人，池边群峰竞秀，山野如洗；池上霞光万道，长虹当空；池中奇峰倒映，波光粼粼。天池上空经常云雾缭绕，置身其中，白云在脚下飘逸，给人一种神秘莫测、飘飘欲仙的美感。

20. 镜泊湖

——澄明之境皆妙处

镜泊湖位于黑龙江省东南部张广才岭与老爷岭之间。明代始称镜泊湖，意为清平如镜。湖面海拔350米，湖长45千米，最深处达62米。全湖分为北湖、中湖、南湖和上湖四个湖区，由西南向东北走向，蜿蜒曲折呈线形S状。吊水楼瀑布、珍珠门、大孤山、小孤山、白石砬子、城墙砬子、道士山和老鸹砬子是镜泊湖中著名的八大景观，犹如八颗光彩照人的珍珠镶嵌在万绿丛中。镜泊湖以其别具一格的湖光山色和朴素无华的自然之美著称于世。

在八大景观中，以吊水楼瀑布最为著名，它酷似闻名世界的"尼亚加拉大瀑布"，一般幅宽40余米，落差为12米。雨季或汛期，瀑布呈现两股或数股迭落，总幅宽达200余米。镜泊湖水从十几米的簸箕背上一倾而下，像一面水晶帘子，水灌潭中，轰然作响，烟雾腾腾，溅起亿万颗珍珠。瀑布旁悬崖巍峨陡峭，怪岩峥嵘，站在岸边向深潭望去，如临万丈深渊，令人头晕目眩。每逢晴天丽日，光照瀑布，则有色彩斑斓的彩虹出现，凡到此游览者，无不惊叹其壮美的景色。冬季枯水期，瀑布不见了，却可以观看到另一番景致。在熔岩床上，有许多被常年流水冲击的熔岩块因磨蚀而形成的大小深浅不等的溶洞，这溶洞，犹如人工雕琢般光滑圆润，十分别致。环潭的黑古壁，是一个天然的回音壁，可与北京天坛公园的"回音壁"相媲美，游人的轻歌笑语经圆形石壁折射，能清晰地传到自己的耳边。

镜泊湖的湖水很清，湖面像大自然创造的一面巨镜。船在上面行，粼粼水波，像丝绸上的细纹，光滑嫩绿。两岸的峰峦倒映在湖里，情意缱绻地伴送着游人。比起洞庭湖的波浪汹涌，太湖的浩淼浑圆，镜泊湖是平静安详的。西湖和它相比，一个像“春山低秀，秋水凝眸”的美艳少妇，一个像“朴素自然，贞静自守”的处子。镜泊湖，没有半点人工痕迹，它所有的佳胜都是自己所具有的。

春游镜泊湖，满山达子香，满湖杏花水；夏游镜泊湖，绿荫遮湖畔，轻舟逐浪欢；秋游镜泊湖，五花山色美，果甜鱼更肥；冬游镜泊湖，万树银花开，晶莹透琼台。

21. 五大连池

——意料之外的美丽

五大连池是北方的一处旅游、疗养胜地，位于黑龙江省德都县境内，距哈尔滨市413千米。史书《黑龙江外记》、《宁古塔记略》均有文字记载。在火山喷发的同时，滚滚的熔岩把讷谟尔河的支流——白河拦腰截成五段，形成了五个彼此相连呈串珠状的火山堰塞湖，即头池、二池、三池、四池、五池，人们称之为五大连池。

五大连池主要有两大特色。一是景色奇特。它是我国第二大火山堰塞湖，池岸曲线变化复杂，有收有放，五个池子颜色各异，形态不一，半圆状环抱着两座新火山和广阔的石海，景观效应极佳。在五大连池周围，分布有14座火山和60多平方千米的熔岩台地。这组火山群，拔地而起，形态各异，形成了一个别具一格的风景区，人们称这里为“火山公园”或“自然火山博物馆”。由火山喷发形成的熔岩，有的像一条长龙，有的如象鼻吸水，有的似一条瀑布，形象逼真。熔岩在地下流动形成的熔岩空洞，也是旅游者感兴趣的地方。

二是矿泉资源丰富。很多地

方都有矿泉水涌出，这些矿泉多为冷矿泉，水温低，含有十几种对人体有益的元素，统称为重碳酸矿泉水。一般来讲，世界各地的矿泉水是温泉多冷泉少，有毒泉多无毒泉少，能浴泉多能饮泉少。而五大连池矿泉水能饮能浴，低温无毒，对多种常见疾病具有显著疗效，民间应用已有200多年历史，能治疗胃病、神经衰弱、皮肤病、高血压等病症，享有“神泉”、“圣水”的美誉，和法国的维希矿泉、俄罗斯北高加索纳尔赞矿泉并称为“世界三大冷泉”。

“五池十四山，地火冲云天，雄狮踞石海，群山立水间。”这首诗是我国原国防部长张爱萍将军在游览五大连池时的即兴之作。

22. 昆明湖

——皇家园林

昆明湖位于北京城西北10千米外，位于北京的颐和园内。原为北京西北郊众多泉水汇聚成的天然湖泊，曾有七里泺、大泊湖等名称。昆明湖曾名瓮山泊，因万寿山以前名为瓮山而得名。瓮山泊因地处北京西郊，又被人们称为西湖。因为这一带风景优美，山水俱佳，明朝一些诗人常把西湖周围地区的自然风光描绘成“宛如江南风景”，“一郡之盛观”。清乾隆帝在昆明湖泛舟的诗中写到：“何处燕山最畅情，无双风月属昆明。”

颐和园中昆明湖的水面占公园面积的3/4，昆明湖根据水域的分割状，可分为三个部分，即大湖、西湖和后湖。其中西湖又可分为南北两个区域，昆明湖绕流万寿山后山脚下的溪河，称为后湖。

昆明湖的特色之一在于它集中仿建了天下许多水景名胜。在山环水绕之中，分布着145处景观，有些景观的命名，直接以水为主题。如“平湖秋月”、“苏堤春晓”、“三潭印月”、“曲院风荷”，都来自于杭州的西湖十景。还有仿桃花源的“武陵春色”，仿庐山的“西峰秀色”，仿狮子林的“叠石迷宫”，仿瞻园的“茹园”，仿孤山放鹤亭的“招鹤蹬”等等，汇集了无数天下胜景和名园的精华。

昆明湖的特色还体现在它的广阔。它总面积有3 000亩，比北京市区内的五个北海还要大。水域广阔，景色秀丽，每年夏秋季节，大量游人纷纷而至。人们在昆明湖泛舟消暑，微风拂面，波光粼粼。西望玉峰宝塔，立于青山之上，北看佛香高阁，处于翠柏之间。远山近水，诗情画意，使人暑意顿

消。人们在风和日丽的夏秋之际，立于岸边，放眼观看，湖面上汽艇、画舫，载着游客环湖游览，条条小船，穿梭往来，桥、岛、殿、阁，倒映水中，湖面上生气勃勃，呈现出一幅秀丽的画面。

昆明湖的著名景点很多，如十七孔桥，它始建于清乾隆十五年（1750 年），东接东堤，西连南湖岛，全长 150 米，是我国皇家园林中现存的最长的桥，因有 17 个桥券洞而得名。桥头及桥栏望柱上雕有 500 多只形态各异的石狮。桥栏的两端有 4 只石雕的异兽，威猛雄健，当属清代石雕艺术品中的杰作。西堤是仿杭州西湖苏堤而建，从北向南依次筑有界湖桥、豳风桥、玉带桥、镜桥、练桥、柳桥 6 座式样各异的桥亭；在柳桥和练桥之间为取范仲淹《岳阳楼记》中“春和景明，波澜不惊”之句命名的景明楼。沿堤遍植桃柳，春来柳绿桃红，有“北国江南”之称。

23. 大明湖

——一城山色半城湖

大明湖是济南三大名胜之一，是泉城重要风景名胜和开放窗口。它位于市中心偏北处、旧城区北部。大明湖历史悠久，景色秀美，名胜古迹周匝其间。尤其它乃繁华都市之中的天然湖泊，实属难得。

早在北魏年间，郦道元所著《水经注》中便有记载："泺水北流为大明湖，西即大明寺，东、北两面则湖。"至金代，诗人元好问在《济南行记》中，始称大明湖。明代重修城墙，大明湖遂初成今日形貌。

大明湖水来源于城内珍珠泉、濯缨泉、王府池等诸泉，有"众泉汇流"之说，水质清洌，天光云影，游鱼可见。大明湖水源充足，排水便利，故有"恒雨不涨，久旱不涸"的长处，常年水位恒定。水深平均 2 米左右，最深处约 4 米。"四面荷花三面柳，一城山色半城湖"是大明湖风景的最好写照。

大明湖一带历代建筑甚多，素有"一阁、三园、三楼、四祠、六岛、七桥、十亭"之说，所有建筑均建造精美，各具特色。济南八景中，大明湖有三景：明湖泛舟、历下秋风、汇波晚照。

大明湖不光历史悠久，纪念古人政绩、行踪的建筑以及自然景观也很多，诸如历下亭、铁公祠、小沧浪、北极阁、汇波楼、南丰祠、遐园、稼轩祠等，引得历代文人前来凭吊、吟咏。唐代的李白、杜甫，宋代的曾巩、苏轼，金、元代的元好问、张养浩，明代的李攀龙、王象春，清代的王士祯、蒲松龄等，都留下了著名的诗篇。唐诗人杜甫曾两次来济南游历，与书法家李邕宴饮于历

下亭，留下了“海右此亭古，济南名士多”的诗句。清代书法家铁保亦留下了“四面荷花三面柳，一城山色半城湖”的名句，绘声绘色地道出了大明湖的佳绝之处。

晚清大文学家刘鹗曾留下关于大明湖“佛山倒影”的描写：“到了铁公祠前，朝南一望，只见对面千佛山上，梵宇僧楼，与那苍松翠柏，高下相间，红的火红，白的雪白，青的靛青，绿的碧绿，更有那一株半株的丹枫夹在里面，仿佛宋人赵千里的一幅大画，做了一架数里长的屏风。正在叹赏不绝，忽听一声渔唱。低头看去，谁知那明湖业已澄净得同镜子一般。那千佛山倒映在湖里，显得明明白白。那楼台树木格外光彩，觉得比上头的一个千佛山还要好看，还要清楚。”

24. 瘦西湖

——园林之胜，甲于天下

位于扬州西北郊的瘦西湖，是隋唐时期由蜀冈山的水与其他水系汇合流入大运河的一段自然河道。清朝初年，杭州诗人汪沆赋诗："垂杨不断接残芜，雁齿红桥俨画图。也是销金一锅子，故应唤作瘦西湖。"从此，"瘦西湖"之名被流传至今。瘦西湖以它优美的自然景观和丰富的人文底蕴而著称。

瘦西湖的景区主要有：御码头、西园、冶春园、绿杨村、卷石洞天、西园曲水、四桥烟雨、虹桥、长堤春柳、叶园、徐园、长春岭、琴室、木樨书屋、棋室、月观、梅岭春深、湖上草堂、绿荫馆、吹台、水云胜概、莲性寺、凫庄、五亭桥、白塔晴云、二十四桥等。

历代的诗人墨客喜爱把瘦西湖比喻为清秀婀娜的少女，而区别于妩媚丰腴的杭州西湖。从范围上讲，瘦西湖自史公祠向西，经大虹桥、长堤春柳、西圆曲水、小金山、白塔、五亭桥，至观音山而止，而瘦西湖公园则从长堤春柳至观音山。瘦西湖全长 4.3 千米，沿湖分布着许多小巧别致、依山傍水的建筑物。有的伸入湖中，有的架于波面，有的曲径通幽，有的建于山上，各个姿态万千，清绝深邃。

瘦西湖园林很有特点，它有限的空间有非凡的秩序，沿着一条水，所有的园林景致都在水的两岸展开，形成了集南方之秀与北方之雄于一体的独特风格，又在统一的风格中千变万化，亭台楼榭，错落有致。在最阔的湖面

上，五亭桥、白塔突出水面，成为瘦西湖的象征。瘦西湖因为有了灵气，良好的生态环境，引来百鸟栖息，形成了人与自然的和谐统一。

瘦西湖之美，还在于它的蜿蜒曲折、古朴多姿。水面时展时收，形态自然动人，犹如嫦娥起舞时抛向人间的一条玉色彩带。湖光潋滟，清澈碧绿；花木扶疏，连绵滴翠；亭台楼阁，错落有致。四时八节，风晨月夕，使瘦西湖幻化出无穷奇趣。尤其待到烟花三月，漫步于瘦西湖畔，但见几步一柳，好似绿雾般柔美动人，加之山茶、石榴、杜鹃、碧桃等妩媚的花树陪伴，更加舒卷飘逸、窈窕多姿，万般诗情画意尽现其中。

优雅的景致博得了人们的青睐。我国古代的一些文人墨客基本上都去过扬州，而且都留下了一些非常著名的诗句。唐代大诗人李白送朋友到扬州去，临别的时候曾赋诗："故人西辞黄鹤楼，烟花三月下扬州。"

瘦西湖独特的风韵成为历代皇帝下江南巡游休闲的必经之地，清朝康熙、乾隆二帝曾数次南巡扬州，当地豪绅争相建园，遂得"园林之胜，甲于天下"之说。

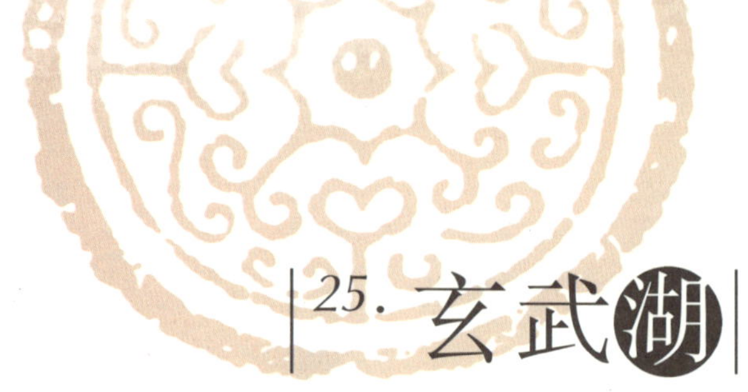

25. 玄武湖

——六朝烟柳

玄武湖位于南京市东北城墙外，由玄武门与市区相连。玄武湖古称桑泊，原来只是一块因断层作用而形成的沼泽湿地，湖水来自钟山北麓。传说刘宋元嘉二十五年（448 年），湖中两次出现“黑龙”（很可能是现在的扬子鳄），因而又改称玄武湖。

玄武湖中分布着五块绿洲，形成五处风景区。环洲烟柳、樱洲花海、翠洲云树、梁洲秋菊、菱洲山岚，各据其胜。环洲中，假山瀑布尽显江南园林之美，其中由宋代花石纲的遗物太湖石组成的“童子拜观音”景点尤为壮观；菱洲濒临钟山，有“千云非一状”的钟山云霞，故有“菱洲山岚”的美名；梁洲为五洲中开辟最早、风景最胜的一洲；樱洲在环洲怀抱之中，是四面环水的洲中洲，洲上遍植樱花，早春花开，繁花似锦，人称“樱洲花海”；翠洲风光幽静，别具一格。

玄武湖的水体景观，是按着中国传统园林崇尚自然的传统方式形成的。它沿用“一池三山”的理水模式，意味着人们对美好理想的一种追求。一平如镜的玄武湖，湖边杨柳依依，以水的诗情画意，寓意人生哲理，引发对悠悠历史的深思。

玄武湖以静态水体为主，湖的形状决定了水面的大小、形状与景观。静态的水色湖光本身，一平如镜，它表现出的滟潋、柔媚之态，足以使人陶醉。中间设堤、岛桥、洲等，不论其大小、长短，

目的都是划分水面，增加水面的层次与景深，扩大空间感，增强水面景观，提高水上游览趣味和丰富水面的空间色彩，同时增添了园林的景致与趣味。

它的水体景观设计还充分利用水态的光影效果构成了极其丰富多彩的水景。如倒影成双：四周景物反映水中形成倒影，使景物变一为二，上下交映，增加了景深，扩大了空间感；一座半圆洞的拱桥，变成了圆桥，水中倒影由岸边景物生成，岸边精心布置的景物如画，影也如画，取得双倍的光影效果，虚实结合，相得益彰。倒影还把远近错落的景物组合在一张画面上，如远处的山和近处的建筑、树木组合在一起，犹如一幅秀丽的山水画。借景虚幻：由于视角的不同，岸边景物与水面的距离和周围环境也不同，景物在地面上能看到的部分，在水中不一定能看到，水中能看到的部分，地面上也不一定能看到。如走到某个方位，由于树林的遮挡，山上的塔楼几乎看不到，但从水面却可以看到其影子，这就是从水面借到了塔的虚幻之景。这种倒影水景的“藏源”手法，增加了游人“只见影，不见景”的寻幽乐趣。动静相随：风平浪静时，湖面清澈如镜，即使是阵阵微风也会送来细细的涟漪，给湖光水色的倒影增添动感，产生一种朦胧美。若遇大风，水面掀起激波，倒影消失，而雨点又会使倒影支离破碎，则又是另一种画面。水本静，因风因雨而动，小动则朦，大动则失。这种动与静的相随出现是受天气变化的影响，它大大丰富了玄武湖的水景。

26. 千岛湖

——天下第一秀水

千岛湖位于浙江省杭州西郊淳安县境内，因其湖内拥有 1 078 座翠岛而得名。水是千岛湖风景区的主体，山、水、岛、林，构成得天独厚的旅游资源。巍巍群山环抱着一湖碧水，万顷碧波中撒落着大小参差、星罗棋布的翠岛。千岛湖整个湖区分为东北、东南、西北、西南、中心五大湖区。湖区的山水风光旖旎，岛屿星罗棋布，聚散有致，处处凸现出扑朔迷离的境界，时有绚丽多彩、变幻莫测的雾景出现。周围半岛纵横，峰峦成障，山岚水色和流光溢彩的林木，无不充满着诗情画意。因山青、水秀、洞奇、石怪而被誉为"神姿仙态千岛湖"。

千岛湖之美，美在它动人心魄的水质。水是千岛湖永恒的美丽和灵魂，千岛湖的水至清至纯，这清如明镜、绿如宝石的水，只有用"水的精灵"来形容才贴切。千岛湖平均水深 34 米，能见度 9～14 米，属国家一级水体，被赞誉为"天下第一秀水"。因为水中浮游生物少，湖水清澈见底，看上去就像翡翠般似绿如蓝。据说，千岛湖汇集了很多山泉，天然矿泉水"农夫山泉"就取自岛湖 70 米深处。在唐朝的时候，著名的山水田园诗人孟浩然，就写诗称赞过新安江的水。他说"湖经洞庭阔，江入新安清"，由此可以想见在唐朝的时候，新安江的水就是非常清澈的。

千岛湖湖面宽阔，山环水拥，山中有湖，烟波浩森，犹如仙境。湖面开

阔，视野宽广，远观可见水天相接，起伏的山峦若隐若现。狭窄处，山重水复，曲折幽邃。西湖之秀，太湖之壮，千岛湖兼而有之，人们赞誉“千岛湖水人间稀”。

千岛湖除了碧水外，就是数不清的岛屿。鸟瞰千岛湖，犹如一只展翅的金凤。那 1 000 多座岛屿或散而跌落湖中，若块块翡翠，伶仃而居；或聚而列成群岛，似堆堆碧玉，有的像腾舞的青龙，有的似跃起的烈马，时而双峰对峙，时而锦屏挡道。船到岛前，峰回路转，错落有致，有岛皆秀，有水皆绿，奇特的湖湾组成了一幅幅似相隔实相连的山水长卷。

在森林、水体与岛屿的共同作用下，千岛湖的气象变化万千。清晨，水、岛、天一色，迷茫而神秘；随着“初日照高林”，林、岛、石、湖便一览无余了。此时湖平如镜，天上的彩云在水中徘徊，岛屿与湖岸群山倒映在湖里，一色青青，情意缱绻；夕阳西下时，当云层豁然开朗之际撒出它最后的光芒，将群山染成一片紫绛色。

湖区岩石以砂岩、页岩、石灰岩、紫砂岩为主。这些岩层经历多次构造运动，升降沉浮，并受气候的影响，形成了颇具特色的峭岩怪石，分布有赋溪石林、羡山石景、桂花岛、铁帽山等，其中以绵延十余里的赋溪石林最奇特，它千姿百态，气势雄伟，真可谓是鬼斧神工，惟妙惟肖，令人赞不绝口。石灰岩山地溶洞也分布较多，洞内多有石笋、石幔、石峰，形状各异，玲珑剔透，五彩缤纷，犹如仙境。此外还有天堂、流湘、龙门等瀑布，飞瀑直泻，宏伟壮观。

27. 南湖
——革命发轫地

嘉兴南湖位于嘉兴市市中心，现有面积 276 公顷，其中水域面积 98 公顷，南湖由东、西两湖组成，以其轻烟漠漠、细雨霏霏的景致而美名远播。清代时，乾隆帝曾八下江南，每次南巡线路虽有所差异，但必经嘉兴且上南湖的烟雨楼游览。在烟雨楼上，无论是晴天还是阴天，乾隆都要题诗赞颂一番。其中有诗云："春秋三阅喜重来，雨意烟情镜里开。承德何妨摹面貌，嘉兴毕竟启诗材。夏中让彼泛锦芰，春季饶兹对玉梅。不拟南巡更临此，鸣榔欲去重徘徊。"可见他对南湖和烟雨楼有一种特殊的感情。

嘉兴南湖是通过设置建筑亭楼来点缀水景的。它本是平原上的一片静水，四周没有山峦景色的陪衬，园艺师便在湖中筑岛建楼，化不利为有利，使其成为一处水面建筑结合完美的著名风景。南湖的主要建筑是烟雨楼，其名来自唐代诗人杜牧名句"多少楼台烟雨中"。登此楼四望，每年夏秋之际，

人们泛舟采菱，嬉耍于水上，呈现一幅很别致的江南农家乐的图画。周围堤岸上垂柳丝丝，茂林丰草，青翠喜人。绿荫丛中点缀着亭、廊、榭、轩等园林建筑。每当秋夜明月当空时看南湖，水平似镜，莲萍朵朵，皎洁的月光使浩淼的湖面犹如笼罩着一层轻纱，显得神秘朦胧。雨中欣赏湖景，则一片苍茫，岸边亭台堤柳隐约可见，所谓“雾露隐芙蓉，见莲不分明”，比起风和日丽的情景，别具一番风味。

烟雨楼的景观，还以烟雨空濛而显其迷人，以湖波苍莽而见其雄放。雨中隔水远眺，迷迷濛濛，丝丝缕缕，如蔼如雾，似烟似雨，湖心小岛若浮若沉，烟雨楼台欲露欲藏，岸柳亭树皆在有无之中，极具诗情画意。在漫漫历史长河中，此景观曾吸引无数文人墨客，挥毫泼墨、赋诗作画。烟雨楼内收藏了郭沫若、董必武、沈钧儒的墨宝，还有乾隆皇帝的诗歌碑石。烟雨楼楼下正厅有革命元老董必武同志 1963 年所书对联：“烟雨楼台，革命萌生、此间曾著星星火；风云世界，逢春蛰起、到处皆闻殷殷雷。”

南湖不仅以秀丽的风光享有盛名，而且还因中国共产党第一次全国代表大会在这里胜利闭幕而备受世人瞩目，成为我国近代史上重要的革命纪念地。

28. 太湖
——包孕吴越

太湖，位于江苏和浙江两省的交界处，长江三角洲的南部。为我国五大淡水湖之一。它烟波浩淼，水天一色，峰峦缥缈，气象万千，称“吴中胜地”，以自然风光雄伟秀丽而著称于世。太湖流域面积虽然小于鄱阳湖和洞庭湖，但这里气候温和，特产丰饶，自古以来就是闻名遐迩的鱼米之乡。太湖水产丰富，盛产鱼虾，素有“太湖八百里，鱼虾捉不尽”的说法。

太湖风景名胜区素以宏大的层次、丰富秀丽的湖岛山水风光而著称。进入太湖风景区，首先看到的是蠡湖景色。蠡湖西端，中犊如中流砥柱，矗立湖口，与南犊、北犊，形成两个水门峡口。南“犊山门”，北“浦岭门”，成为蠡湖与太湖交汇的门户。过中犊山，太湖水域豁然开朗，大箕山、小箕山和湖中三山，鼎足而立，山水萦绕，风景佳绝。过三山，水面辽阔处的马迹山和拖山，组成巍峨的太湖屏障。屏障远处水天一色，苏州的洞庭、穹隆、大贡诸峰若隐若现，组成一幅山外有山，湖中有湖，青波白浪，重峦叠翠的天然图画。晴天，“四周腾黛浪，万顷泛金沤”；雨天，“淡泊宁静，水天一色”；风起，“雪浪滚滚，咆哮奔腾”。湖光山色，变幻无穷，有时似一片轻烟，有时似绿玉晶莹，使人如入“太虚幻境”。明代书画家文徵明曾作《太湖》诗，描写它烟波浩淼、气象万千的风光：

岛屿纵横一镜中，湿银盘紫浸芙蓉。
谁能胸贮三万顷，我欲身游七十峰。
天远洪涛翻日月，春寒泽国隐鱼龙。
中流仿佛闻鸡犬，何处堪追范蠡踪。

太湖之美在水。临湖远眺，烟水茫茫，水天相连。由于太湖是大型浅水湖泊，平均水深仅1米多，湖面开阔，易形成波浪，波浪又易受湖底摩擦作用，故波虽多但浪不高，大多数时间呈现一片恬静明朗的景象。

太湖北岸，层峦叠嶂，山环水复，是名胜古迹的荟萃处，最著名的当属鼋头渚和蠡湖。鼋头渚是沿岸充山向西伸入湖中的半岛，形如鼋头，故名。"太湖绝佳处，毕竟在鼋头"。登上鼋头渚，便见太湖岸边巨石卧波，雪涛飞溅；远望太湖，水天相接，浩瀚无垠。岸边崖上，镌刻着"包孕吴越"、"横云"石刻。蠡湖又名五里湖，湖西经犊山门与太湖相通。300多米长的宝界桥，犹如长虹卧波，将蠡湖分为两半。蠡湖亦旷亦逸，风韵天然。湖的北岸之滨有蠡园，以水饰景，古典幽雅，十分精巧，为江南最负盛名的园林之一。

太湖之美亦在72峰。太湖中散布48处岛屿，这些岛屿与沿岸的半岛、山峰合在一起，号称72峰。它们自浙江天目山蜿蜒而来，或止于湖畔，或纷纷入湖，形成山环水抱的形势，组成一幅山外有山、湖外有湖、碧波银浪、重峦叠翠的天然图画。

29. 日月潭

——宝岛明珠

日月潭是台湾岛最著名的风景区。它位于西部的南投县，是台湾省最大的天然湖泊，卧伏在玉山和阿里山之间的山头上。

日月潭本来是两个单独的湖泊，后来因为发电需要，在下游筑坝，水位上升，两湖就连为一体了。日月潭四周青山环抱，山峦层叠，湖面宛似一个巨大的碧玉盘。潭中有一个小岛，远看好像浮在水面上的一颗珠子，故名珠仔岛，现在叫光华岛。以此岛为界，北半湖形如日轮，南半湖状似上弦之月，因名日月潭。旧台湾八景之一的“双潭秋月”就是由此而来。

日月潭美景如画，春夏秋冬，晨昏晴雨，景色变幻无穷。在风和日丽的春天，翠山环绕，堤岸曲致，山水交映，变化多端。当晨曦初上时，万籁俱寂，湖水放射出绮丽的色彩，倏忽变易，神秘莫

测；夕阳西下，日月潭畔烟霞四起，轻纱般的薄雾在湖面上飘荡回旋；若遇细雨淅沥，四周山峦经过清洗，显得格外清净，山光水色更是碧绿得可爱；尤其是秋季的夜晚，明月照潭，清光满湖，碧波素月一起交相辉映，宁静优雅，置身其间，如临仙境。清人曾作霖曾用“山中有水水中山，山自凌空水自闲”的诗句来赞美日月潭。

日月潭具有一种小家碧玉的独特气质，它有着一种精致的美，并不胜在气势。日月潭最美之处，即是层层山峦环抱，绿水叠着青山、挟着翠峦。这样的景致，与水库形成原因有关。与其他水库湖泊不同的是，日月潭是在洼地中注入大量水而形成的，而不是堵水成潭。整个水域被山峦环绕着，一层叠出一层的景，远眺近观，处处是景，再加上 760 米的湖面海拔，时有宛如泼墨山水画的氤氲之气，从清晨到日落，光线流转，也为日月潭带来万千气象。

30. 西湖

——人间天堂

西湖位于杭州市中心，旧称武林水、钱塘湖、西子湖，宋代始称西湖，是一处以秀丽清雅的湖光山色与璀璨丰蕴的文物古迹交融一体的国家级风景名胜区。它以秀丽的西湖为中心，三面环山，中涵碧水，面积 60 平方千米。沿湖绿荫环抱，山色葱茏，画桥烟柳，云树笼纱，逶迤群山之间，林泉秀美，溪涧幽深。90 多处各具特色的公园、风景点中，有三秋桂子、六桥烟柳、九里云松、十里荷花等。

西湖是一首诗、一幅画、一个美丽动人的故事，而流传千年的“西湖十景”则荟萃了西湖最美的景致。它们基本围绕西湖分布，有的就位于湖上：苏堤春晓、曲苑风荷、平湖秋月、断桥残雪、柳浪闻莺、花港观鱼、雷峰夕照、双峰插云、南屏晚钟、三潭印月。西湖十景各擅其胜，组合在一起又能代表古代西湖胜景精华。西湖十景的妙处，不仅在于它有情、有景、有时、有物，而且每两个景目都是成对的。如“苏堤春晓”对“平湖秋月”；“三潭印月”对“双峰插云”；“断桥残雪”对“雷峰夕照”；“柳浪闻莺”对“花港观鱼”；“曲院风荷”对“南屏晚钟”。

其中最负盛名的三潭印月岛又名小瀛洲，与湖心亭、阮公墩合称湖上三岛。全岛连水面在内面积约 7 公顷，南北有曲桥相通，东西以土堤相连，桥堤呈“十”字形交叉，将岛上水面一分为四，水面外围是环形堤

埂。从空中俯瞰，岛上陆地形如一个特大的“田”字，呈现出湖中有岛、岛中有湖、水景称胜的特色，在西湖十景中独具一格，为我国江南水上园林的经典之作。三潭印月景观富有层次，空间多有变化，建筑布局匠心独运。从岛北码头上岸，经过先贤祠等两座建筑，即步入九曲平桥，桥上有开网亭、亭亭亭、康熙御碑亭、我心相印亭四座造型各异的亭子，让人走走停停，歇歇看看，或谈笑，或留影，流连观照，饱览美景。

九曲桥东，隔水与一堵白粉短墙相望，墙两端了无衔接，形若屏风。但粉墙上开启四只花饰精美的漏窗，墙内墙外空间隔而不断，相互渗透。墙外游人熙熙攘攘，墙内却幽雅宁静，咫尺之间兀自大异其趣。

三潭印月美景还从岛上向湖中延伸。岛南湖面，三座瓶形小石塔鼎足而立，造型别致优美。塔顶如葫芦状，塔身呈球形，高出水面2米，中空，环塔身分布5个小圆孔，塔基为扁圆石座。三塔平面呈等边三角形分布，每边长62米。每逢仲秋时，皓月当空，水天相映，塔中点燃灯烛，与明月上下争辉。赏月游湖者摇桨前来，搅动满湖银辉，天月，水月，塔月，心中之月，化为无限的幽思和寄托，使人怡然忘归。

1982年，当西湖被确定为国家级风景名胜区时，人们在以前西湖十景的基础上，将视野从西湖沿岸扩大到整个西湖景区的周边，又评出“西湖新十景”，即：云栖竹径、满陇桂雨、虎跑梦泉、龙井问茶、九溪烟树、吴山天风、阮墩环碧、黄龙吐翠、玉皇飞云、宝石流霞。它们与西湖旧十景一起成为今天西湖景区最为亮丽的风景线。

西湖不但独擅山水秀丽之美，林壑幽深之胜，而且还有丰富的文物古迹、优美动人的神话传说，自然、人文、历史、艺术巧妙地融合在了一起。

31. 天目湖

——江南明珠

江苏省溧阳市以南约8千米处，有两处国家级大型水库，沙河、大溪，因其均处天目山余脉，故名曰“天目湖”。素有“江南明珠”之称的天目湖始建于1992年，它集太湖烟波浩淼之势，西湖淡妆浓抹之美，千岛湖环拱珠链之局于一体，是我国著名的省级自然保护区。

目前，天目湖已建成湖里山公园、报恩禅寺、群贤堂等旅游景点。湖周群山环抱，湖水清洌，间有画若棋盘的田畴，疏密错落的茶园，到处是一幅幅纯自然的田园风光图。湖岸蜿蜒曲折，自然景色与人工点缀相得益彰。景区内古树名木，奇花异草，姿态万千。野猪、野兔、野鸡、野鸭等野生动物栖息繁衍，自成天趣。山、水、林、禽、兽同生共荣，构成一幅奇特的自然生态图。

从码头乘上游船，可尽情领略湖上风光。游船在碧波万顷的水面上行驶，飞溅起的浪花如珠似雪。一湖碧水，清澈澄静。倘若遇到好机会，能看到一阵阵乌黑的野鸭，在湖面上时起时落。放眼远眺，水天一色，烟波浩淼。连绵起伏的群山，郁郁葱葱；一座座小岛，仿佛浮在绿色的水面上。山环水绕、山高水低的旖旎风光，令人陶醉。

黄家山鸟岛，像碧绿的玉簪，突出在平静如镜的湖中，显得格外的恬静、神秘。在游船上，远见杉树上一片白色。船靠近小岛，但见一阵阵白鸟从树上飞起，在空中翱翔，景色甚为壮观。栖息在鸟岛上的有丹顶鹤、杜鹃、鸳鸯、相思鸟等100多种鸟类。到了秋冬时节，无数野鸭从湖上飞起，大有遮天蔽日之势。宋朝名人张孝祥途经黄山湖、三塔荡时，吟出的《西江月·三塔荡阻风》中，其名句“寒光亭下水如天，飞起沙鸥一片”，便是描绘这一带的湖光鸟景。

群贤堂亦是天目湖的一大特色。清顺治年间溧阳状元马世俊的座像供于堂中。溧阳贡士获试第二名（榜眼）的宋之绳、任兰枝，第三名（探花）的陈名夏、黄梦麟、任端书的生平及代表作与马世俊的简历均陈列于右侧墙面。在堂内的左侧，还展出了当代溧阳籍名人的生平事迹。

报恩禅寺位于天目湖畔，它的整体设计融合了中国寺庙与泰国寺院的艺术风格。进入拱形的大门，就是天王殿。殿中供奉着笑口常开的弥勒佛，这是一座通身贴金的佛像，四大金刚分列四角，威严肃穆。殿前左侧的平地上，安放着一只一米长的石龟，是报恩禅寺保留下来的千年遗物，它的背上竖着一方“报恩禅寺碑记”。天王殿后，是新落成的大雄宝殿。这座建筑宏伟的五层宝殿，高约20米，金碧辉煌，端庄文静的释迦牟尼座像供于殿中；东方消灾延寿药师傅、四方极乐世界阿弥陀佛，相伴左右，神态各异；栩栩如生的十八罗汉列于两侧。依山而建的碑廊，筑于殿后。走在长廊中，但觉山青竹秀，幽静凉爽，夹裹着草木的清香，令人仿佛进入脱俗的世界。

32. 巢湖

——天与人间作画图

位于安徽省江淮丘陵中部的巢湖，是我国五大淡水湖之一，它东西长54.5千米，南北宽21千米，水域面积约750平方千米。巢湖的源流远及英、霍二山，湖水与兆河、白湖相通，有丰乐河、杭埠河等来汇，纵横交错的江河沟渠在其中相吐互纳，最终由东出口，经裕溪河下泄至长江。巢湖内外，半汤温泉、“湖天第一胜处”的中庙、姥山塔、四顶山、银屏山等都是绝佳的胜地。

巢湖湖水之上或连天平湖，浪静波恬，轻舟逐水，帆影浮隐；或波涛翻滚，撼地震天。宋人刘攽游巢湖时，诗云：“天与水相通，舟行去不穷。何人能缩地，有术可分风？宿露含深墨，朝曦浴嫩红。四山千里远，晴晦已难同。”巢湖之美，不仅在湖，也在于山。群峰四周，参差相映，有的如凤凰展翅，有的似雄狮昂首；有的形若银瓶，有的状如香炉。这山水之胜，林壑之美，引得李白、罗隐、苏轼、陆游、姜夔等文人墨客在此留下了无数脍炙人口的佳句。宋代著名诗人陆游即赞之曰：“何曾蓄笔砚，景物自成诗。”

半汤温泉位于巢湖汤山之麓，温泉涌出的热气，像袅袅青烟缭绕于曲径山道上。《巢湖志》记载：“山有二泉，一冷一暖合流”，因有半汤之名。半汤温泉历史十分悠久，远在秦汉，就为人们发现和利用，被誉为九福之地。

四顶山是巢湖北岸的又一胜景，因山有四峰突起而得名。相传此山曾是汉代魏伯阳炼丹修道之处，故亦称“四鼎山”，留有“古仙不复见灵迹，近吾庐丹顶千年”的诗句。四顶山环境清幽，好似仙山琼阁。据《巢湖志》记载，昔日山顶有朝霞寺，寺周古树葱茏，浓荫蔽日。南山有兀立巨岩，形如鹦鹉，

名鹦鹉石，从姥山远眺，恰似一对相偎细语的情鸟。四顶山的景色又以旖旎的霞光为最，故又名“朝霞山”。每当旭日东升或落日熔金，满山光彩夺目，一湖闪闪金鳞，景色极为壮观。“四顶朝霞”为“庐阳八景”之一。

巢湖之南，群峰相峙，峭壁嵯峨的银屏山绵延于巢湖之滨。因山上有一大石，色白如银，形似花瓶，故又有“银瓶”之名。银屏峰海拔 508 米，为群峰之冠，登山可俯瞰全湖。但见碧波远涵，极目水天无际。一脉青山，云缠雾绕，宛若仙境。围绕银屏峰的九座山峰，形状如狮子，名曰九狮山，古人称之“九狮抱银瓶”。银屏山麓有仙人洞，这个地下水溶蚀石灰岩形成的溶洞，可容千人，洞顶洞壁垂挂着千姿百态的钟乳石。洞口绝壁石缝中，长着一株亭亭玉立的白牡丹，枝叶扶疏，盘旋而出。每逢谷雨时节牡丹花开，洁白如银，艳丽芬芳，慕名前来观赏者络绎不绝。

33. 太平湖

——黄山情侣

太平湖位于黄山市西面的青弋江上游谷地，是安徽省最大的人工湖。它南依黄山，北望九华，湖身绵延曲折达 80 千米，南北最宽处有 4 千米，最窄处仅 10 余米，面积 88.6 平方千米，是我国著名的高山峡谷型湖泊。

太平湖水来自于黄山脚下的青弋江。这条江在战国时期称作治水，秦汉时期称为庐江，到了东汉以后才被称为青弋江。荡舟太平湖上，周围的万壑群峰倒映在湖中，就像天然的水墨画，因此有诗人赞曰："桂林山水甲天下，太平湖景胜桂林。群峰倒映山浮水，无山无水不入神。"

太平湖中部开阔，两端是蜿蜒曲折和宽窄不等的峡谷，湖水宽处烟波浩淼，似洞庭之坦荡，狭处曲径通幽，赛漓江之奇美。荡舟在这碧蓝如翠的湖

中，既可领略到太湖、洞庭的浩淼烟波，又能目接长江三峡般的奇山秀峰。船在峡谷中前进，不时转换方向，忽而“山穷水尽”，忽又“柳暗花明”，变化不尽。北岸有一处港湾，港湾形似月牙，故名“月牙湾”。这里空气湿润，光照充足，植被密集，有木棉等亚热带植物，也有银杏、金钱松等珍稀树种，是各种野生动物栖息的理想之处。

湖中岛屿林立，这些岛屿原是河谷两岸的山峰，如今离水面不高，轻易即可登上峰顶。诸岛屿各具神态，如奔狮，如卧龙，如笨牛，如羸犬，维妙维肖地竞俏于碧波之中。湖中有一处“十字破天”的巨石，这座巨石有十多米之高，从细小的石缝中仰天望去，如刀切一般，断为四节，这样奇特的自然景观在黄山也不多见。相传轩辕皇帝为战蚩尤，在此苦练剑法，天长日久，竟将这块巨石劈成十字，因此留下“十字破天”的奇观。

太平湖的历史虽然不长，但是发源于黄山的青弋江却是风景奇美的一块宝地，自古文人雅士无不为之倾倒。楚国大诗人屈原，在白起破了郢都之后漂流至此，写下了千古名作《哀郢》；诗仙李白脍炙人口的“桃花潭水深千尺，不及汪伦送我情”以及在《山中问答》中的“问余何意栖碧山，笑而不答心自闲。桃花流水杳然去，别有天地非人间”的名句都是在此而作。

太平湖是春天的画卷，是山水的长廊，它以它的自然清爽、无雕无饰引得无数诗人为之挥毫，令人魂牵梦绕。

34. 东湖

——中国最大的城中湖

东湖风景名胜区位于华中重镇武汉市区东部，景区水面辽阔，达 33 平方千米，是镶嵌在长江中游的一颗璀璨的明珠，也是武汉市最大的风景游览区。

东湖湖山秀丽，岸线曲折，岛渚星罗，万顷碧波。磨山、枫多山、吹笛山，共 34 座山峰紧紧环绕东湖碧水。全湖港汊交错，向有“九十九湾”之称，加以大湖之外连小湖，起伏隐现，不知何处才是尽头。且湖中有山，山下有水，山水连天，登高峰而望清涟，踏白浪似览群山，莫穷其尽。

东湖一年四季风情万种，优美的自然风光使其春来山明水秀、鸟语花香；夏来万人湖滨戏水，一派南国风光；秋来枫叶满山红遍，桂花十里飘香；冬来万千候鸟，满湖觅食欢唱。东湖四季皆可游览，素有“春兰、秋桂、夏荷、冬梅”之美誉。三月兰花四月樱，湖面平如镜，鸟雀唱山林；七月八月，热不可当，由于湖水之浸润，区域气温低于市内平均温度，入泳场以消暑，倚繁荫而纳凉，攀山顶可采风；秋高气爽，桂蕾绽放，十里飘香，万株红叶，层林尽染；隆冬严寒，瑞雪纷扬，磨山数百亩梅花吐蕾绽放，疏影横斜，冷艳暗香，淑女雅士，纷至沓来。

东湖风景名胜区有听涛、磨山、珞洪、白马、吹笛、落雁 6 个游览区。其中听涛景区是东湖最著名的景区之一，位于东湖西北岸，因遍地松柏，松涛声与波涛声两相呼应而得名。听涛区建有一系列纪念伟大诗人屈原的建筑。圆形小岛上建有三层高的行吟阁，绿瓦圆柱，精巧秀丽，阁前有屈原立像。

附近还有泽畔客舍、桔颂亭、屈原纪念馆等，都是为纪念屈原曾来武汉而建。听涛区北端有九女墩，是太平天国九位无名女兵抗击清军投水牺牲的合葬墓地。自此东行，可至湖光阁，阁高19米，3层，登临上层可尽览泉湖风光。听涛区树种繁多，四季常青，亭阁相望，岸线绵长，景区由堤路连接的多个半岛组成。湖滨平坦的草地与广阔的湖面相连，视野开阔，置身其间，令人心旷神怡，心胸坦荡。巡视一湖碧水，平静如镜，蜿蜒凹凸的港汊，游鱼成群，水鸟争飞。这里还是毛泽东同志在解放后除中南海外居住时间最长的地方。听涛景区的其他景点还有寓言园、长天楼等。

磨山景区位于东湖南岸，是东湖风景区的重要组成部分。磨山三面环水，六峰逶迤，犹如一座美丽的半岛。磨山景区的著名景点有雁栖水榭、梅园、水生花卉园、竹类园、盆景园。磨山顶上的朱碑亭是为纪念1954年朱德同志为东湖题词而兴建的。

珞洪景区位于磨山西南面，包括珞珈山和洪山的全部胜迹；白马景区的白马州上有马冢，相传是东吴鲁肃葬白马之地；吹笛景区内的吹笛山，据说是明太祖第六子朱祯的吹笛处。

落雁景区与磨山景区隔水相望，该区湖面广阔，湖岸曲折，港汊交错，山水相依，孤岛星罗，湖草茵茵，芦苇密植，水鸟聚集。落雁岛上常常有大雁、野鸭、獐鸡等水鸟出没于芦苇间。它们时而聚集成群，时而成排盘旋于湖面，临近傍晚，映着晚霞，形成一幅“落霞与归雁齐飞”的奇妙画面。

经过几十年的保护和建设，东湖景区形成了秀丽的山水、丰富的植物资源、浓郁的楚国风情和别致的园中园四大特点。据统计，这里有雪松、水杉、樟树共394种300万株，因此被人们称为“绿色宝库”。这里更是鲜花的海洋，到处湖光山色，美景满园。

35. 洞庭湖

——神仙洞府

洞庭湖为我国第二大淡水湖，位于荆江南岸，跨湘、鄂两省。湖中心有座葱翠常绿的小山，名叫洞庭山，洞庭湖便因此而得名。湖区总面积约 18 000 平方千米，它北连长江，南接湘、资、沅、澧四水，号称“八百里洞庭湖”。洞庭湖的意思就是神仙洞府，可见其风光之绮丽迷人。

洞庭湖浩瀚迂回，山峦突兀，其最大的特点便是湖外有湖，湖中有山，渔帆点点，芦叶青青，水天一色，鸥鹭翔飞。春秋四时之景不同，一日之中变化万千。

洞庭湖碧水共天，沧溟空阔，古往今来，历朝历代，对它的记载和描绘不尽其数。像北宋著名政治家、军事家和文学家范仲淹所作《岳阳楼记》，从岳阳的视角（居高临下）对洞庭湖变化多端的风光，描绘得淋漓尽致，脍炙人口。洞庭湖的气势雄伟磅礴，洞庭湖的月色柔和瑰丽。即使是在阴晦沉霞的天气，也给人别致、谲秘的感觉，激起人们的游兴。清代《洞庭湖志》所载“潇湘八景”中的“洞庭秋月”、“远浦归帆”、“平沙落雁”、“渔村夕照”、“江天幕雪”以及“日影”、“月影”、“云影”、“雪影”、“山影”、“塔影”、“帆影”、“渔影”、“鸥影”、“雁影”等洞庭湖“十影”，如今仍能观赏到。

滨湖的风光极为秀丽，许多景点都是国家级的风景区，如：岳阳楼、君山、杜甫墓、杨么寨、铁经幢、屈子祠、跃龙塔、文庙、龙州书院等名胜古迹。在西洞庭湖与长江的交界处——城陵矶，有一处名为三江口的地方。从此处远眺洞庭，但见湘江滔滔北去，长江滚滚东逝，水鸟翱翔，百舸争流，水天一色，景色甚是雄伟壮观。刘海戏金蟾、东方朔盗饮仙酒、舜帝二妃万里寻夫的民间传说正是源于此地。湖中最著名的是君山，君山风景秀丽，它是洞

庭湖上的一个孤岛，岛上有72座大小山峰，这里每天有渡轮来往，航程大约一小时。游览群山需要用一天时间，早上去，下午返。既去了君山，又可畅游洞庭湖，真是一举两得。相传4 000年前，舜帝南巡，他的两个妃子娥皇、女英追之不及，攀竹痛哭，眼泪滴在竹上，变成斑竹。二妃也叫湘妃、湘君，后人为了纪念湘君，就把洞庭山改为君山了。现有古迹二妃墓、湘妃庙、柳毅井、飞来钟等。君山的竹子很有名，有斑竹、罗汉竹、方竹、实心竹、紫竹、毛竹等。

洞庭湖的"湖中湖"莲湖，盛产驰名中外的湘莲，颗粒饱满，肉质鲜嫩，历代被视为莲中之珍。每当荷花盛开季节，满湖荷叶衬托着亭亭玉立的花朵，素雅高洁，"出污泥而不染，濯清涟而不妖"，泛舟采莲，成为一大旅游项目。这里每年都举办盛大的龙舟节、荷花节和水上运动会。

洞庭湖的美丽景色使古今中外的众多文人为之倾倒：如"吴楚东南坼，乾坤日夜浮。"（杜甫《登岳阳楼》）；"洞庭九州间，厥大谁与让？南汇群崖水，北注何奔放。"（韩愈《登岳阳楼》）；"气蒸云梦泽，波撼岳阳城。"（孟浩然《临洞庭湖赠章丞相》）；"巴陵胜状，在洞庭一湖。衔远山，吞长江，浩浩汤汤，横无际涯。……春和景明，波澜不惊，上下天光，一碧万顷。"（范仲淹《岳阳楼记》），这些优美的诗文让人不禁油然而生对洞庭美景的向往。

36. 黄龙

——人间瑶池

黄龙风景名胜区位于四川省北部，阿坝藏族羌族自治州松潘县境内的岷山山脉南段，距成都300千米。

风景区的地质结构、冰川遗存、江源地貌均保护完好，有珍贵的生物物种资源，景观类型丰富、生态原始、整体完美、内涵深邃、格调明快，具有重要的科学价值和美学价值。它以彩池、滩流、雪山、峡谷、森林“五绝”著称于世，包括黄龙沟、牟尼沟、丹云峡等景区。巨型地表钙华坡谷，如一条金色巨龙，蜿蜒于原始林海和石山冰峰之间，构成了黄龙奇、峻、雄、野的地域特色，使其享有“世界奇观”、“人间瑶池”之誉，被称为“中国一绝”。美国国家公园高级官员欧伯特赞叹道：“这里有似加拿大的大雪山、怀俄明州的峡谷、科罗拉多的原始森林、黄石公园的华彩池，多类景观，集中一地，世所罕见。黄龙不仅是中国人民的财富，也是全人类的宝贵财富。”

来到黄龙，游客首先就会看到在宽约百余米，长约3.6千米的黄龙沟坡上，层层叠叠的黄色碳酸钙自上而下，将整个坡面铺满，就像是一条从雪山上飞跃而下的黄龙。沟内的彩池随风晃动，抖动的水波又恰如龙的鳞甲，更添了“龙”的形象。而黄龙寺的前中后三寺正好建在龙头、龙腰和龙尾的位置上，不难想象，黄龙的名称由此而来。沿沟内的小径上行，最先看到100多个彩池组成的“洗

花池”和池畔的野生花木。上行有流辉、泻银、洗身三大瀑布，还有一个洗身洞藏于瀑布之后。

继续向前，是黄龙中段，也是主要精华地段，共有盆景、明镜、争艳等五大彩池群，再加上大型的钙华流——金沙滩，实在是难得一见的大气势。最后一段是黄龙古寺所在地，这是一座建于明代的寺庙，每年农历六月十五，都举办隆重的黄龙寺庙会。寺庙周围是大面积的彩池和大片的杜鹃林。从沟口涪源桥下行，过头洞桥，就进入了丹云峡景区，35 千米峡谷，布满溪流、飞瀑和浓密的森林，每到秋季，满山遍野的红叶，为黄龙又添了一种魅力。

游人涉足黄龙，犹如走进了一幅绚丽多彩的天然画卷，流金溢彩的钙华滩上镶嵌着 2 300 多个彩池争奇斗艳，同出一源之水流入不同的彩池中，便呈现出各种不同的瑰丽色彩，或鹅黄、或墨绿、或黛蓝，奇幻的色彩随人站立的位置不同，随阳光照射角度的不同而千变万化。清洌而色彩丰富的池水描绘出一幅色彩丰富、意境幽远的泼墨山水画，真是大自然的神来之笔。

37. 九寨沟

——童话世界

九寨沟位于四川西北部的阿坝藏族羌族自治州境内，距离成都市 400 多千米，是一条纵深 40 余千米的山沟谷地，因周围有九个藏族村寨而得名。

九寨沟地处岷山山脉，海拔 2 000～4 300 米，是长江水系嘉陵江源头的一条支沟，由日则沟、树正沟和则查娃沟 3 条沟组成。九寨风光，美丽多姿，以高山湖泊群和瀑布群为主要特点，集翠海、瀑布、彩林为一体，因其独有的原始自然风光，变幻无穷的四季景观，丰富的动植物资源被誉为“人间仙境”、“童话世界”。九寨沟原始秀丽的风光主要分布在呈“丫”字形的三条主沟中，景区内有 108 个翠海（高山湖泊），17 个瀑布群，并有多处大面积钙化滩流。著名的景点有剑悬泉、芳草海、天鹅湖、剑竹海、熊猫海、高瀑布、五花海、珍珠滩瀑布、镜海、诺日朗瀑布、犀牛海、树正瀑布、树正群海、卧龙海、火化海、芦苇海、留景滩、长海、五彩池、上下季节海等。

水是九寨沟的精灵，也是九寨沟美景的精髓所在。“黄山归来不看云，九寨归来不看水”，每当风平浪静之时，湖面平如明镜，但见碧空如洗，白云朵朵，远山苍翠，树木苍郁，无限景致尽在湖中倒映，真幻难分。

镜海被叫做镜海，也就是说它如镜子一般，所映出的倒影还胜过实景。镜海紧邻在空谷的下游，呈狭长形，长约 1 000 米，为林木所包围。对岸山壁像一座巨大的石屏风，右侧是镜海的下游，毗邻诺日朗群海；左侧是镜海上

游，与镜海山谷衔接。镜海像一面蓝色镜子，它把近处青青的山林、远处皑皑的雪峰、天上游动的白云，不差毫厘地印在海子里。湛蓝的海水再给这些倒影染上一层梦幻般的色彩，使这里成为了一个梦幻天堂。

犀牛海长约 2.2 千米，水深 17 米，海拔高度 2 400 米，最深的地方可以达到 40 多米，是树正沟最大的海子。犀牛海的南端有一座栈桥通往对岸。

犀牛海也是九寨沟中景色变化最多的海子之一，是九寨沟的第二大海，其倒影几乎是众海之冠。每天清晨缥缈的云雾倒影，亦幻亦真，让人分不清哪里是天，哪里是海。湖岸四周的彩叶也是亮丽多姿，艳冠群芳。犀牛海水域开阔，北岸的尽头是生意盎然的芦苇丛，南岸的出口既有树林，又有银瀑，中间一大片是蓝得醉人的湖面。

火花海海拔 2 187 米，深 9 米，位于双龙海与卧龙海之间，每当晨雾初散，晨曦初露时，湖面会因为阳光折射的作用，似有朵朵火花燃烧，星星点点，跳跃闪动，因而得名火花海。海子的四周是茂密的树林，湖水掩映在重重的翠绿之中，像一个晶莹无比的翡翠盘，满盛着瑰丽辉煌的金银珠宝。夏季，海边野花盛开，团团簇簇，姹紫嫣红，花上露珠，晶莹剔透，闪闪发光，与海中火花相映成趣，韵味无穷。

38. 鄱阳湖

——中华第一淡水湖

鄱阳湖地处江西省的北部，长江中下游南岸。鄱阳湖以松门山为界，分为南北两部分，北面为入江水道，长 40 千米；南面为主湖体，长 133 千米，是我国最大的淡水湖泊。鄱阳湖以其瑰丽的山水风景和候鸟栖息的湿地风光而为人们向往和留恋。

鄱阳湖上名山秀屿，比比皆是。湖口县的大孤山、都昌县的南山等风光如画，景色宜人。

大孤山临江耸立，与麻姑山遥遥相对，分南北两峰，两峰相抵，仅距数尺，形成一条窄长峻峭的石罅，由罅底窥天，天空细如一线，此景称"一线天"；两峰绝壁上架一石拱小桥，名"步天桥"。南峰东面绝壁上，镌有明代著名学者罗汝芳所书"飞鳌峰"3 个大字，每字约 2 米见方。

南山是鄱阳湖上的又一座名山，它与都昌县隔湖相望，有大堤相连。南山自古就远近闻名。汉时有一贤者隐居于此，武帝南巡，请他出山，他辞不赴诏，自称野老，无意功名。南北朝时山水诗人谢灵运到此诵经礼佛，至今还有他的幡经台。北宋诗人苏轼在《过都昌》诗中写道："鄱阳湖上都昌县，灯火楼台一万家。水隔南山人不渡，东风吹老碧桃花。"南山的野老岩下，仍留有他手书的"野老泉"三字。泉在野老岩下，水从石缝中涌出，清澈甘洌，终年不涸，为南山一大胜迹。现南山修建了集贤亭、博物馆、碑廊、溢香池等亭廊池馆，与仙人石、南山寺、观音阁、野老泉等古迹连成一体，显得更加多姿多彩，引人入胜。

望湖亭坐落在吴城镇北江湖交流的鄱阳湖岸边，其左、右分别有修水、赣江汇入湖内，是登临观景的最佳之地。登亭远眺，只见江流环带，鄱湖浩

淼，渔舟点点，恬然自适，景色清丽。随着气候的变化，景致又各不相同。晴时岚翠如空，波光粼粼；雨时烟水空濛，跳珠飞溅；风时白浪滔天，洪涛裂岸。

鄱阳湖是国际重要湿地，是长江干流重要的调蓄性湖泊，是我国十大生态功能保护区之一，也是世界自然基金会划定的全球重要生态区之一。因此待到枯水季节，鄱阳湖又成为观赏越冬候鸟的理想之所。在寥南和吴城观鸟站用高倍望远镜观望湖中的群鸟，候鸟王国便展现在眼前。由于水草茂盛，鱼类丰富，气候适宜，无工业污染，使得鄱阳湖成为世界候鸟的最大越冬栖息地。鄱阳湖候鸟主要来自我国青海湖、北大荒和俄罗斯西伯利亚等地。每年秋后，即有大批候鸟到这里越冬。据初步统计，保护区有珍禽异鸟150余种，其中属国家一类保护的有白鹳、黑鹳和白鹤3种；属国家二类保护的有天鹅、灰鹅、白枕鹤、白头鹤、鸳鸯、鹈鹕等6种；属国家三类保护的有中华丘沙鸭、斑头雁、大鸨等3种。既有越冬候鸟，也有长住珍禽。鄱阳湖候鸟自然保护区以其独特的魅力，每年都吸引大批的国内外游客前来观光游览。

39. 星湖

——天然山水盆景

广东肇庆市的星湖风景名胜区，包括七星岩和鼎湖山两部分，是岭南著名的旅游胜地。星湖位于肇庆市北郊 4 千米处，整个湖面被蜿蜒交错的湖堤分割为五个湖区：东北面的东湖，东南面的青莲湖，南面的七星湖，西面的波海湖和中部的红莲湖，总称为星湖。湖面积共约 460 万平方米，与西湖相近。以七星岩景区的山水风光和星湖湿地公园而闻名遐迩。

星湖湖区错落着七座陡立峻峭的岩峰，因布列似北斗七星，因而得名七星岩。七星岩自东迄西顺次为阆风岩、玉屏岩、石室岩、天柱岩、蟾蜍岩、仙掌岩、阿坡岩。七星岩湖面壮阔，其间七座岩峰布列，整个景区山环水绕，亭楼阁榭，波光岩影，浑然一体，自然风光绝佳，向有“岭南第一奇观”、“人间仙境”、“天然山水盆景”之美誉。千百年来不知倾倒了多少文人墨客，留下了不计其数的诗文：

借得西湖水一圜，
更移阳朔七堆山；
堤边添上丝丝柳，
画幅长留天地间。

叶剑英同志的诗句高度概括了七星岩风景的诗情画意。集西湖之水与

阳朔之山于一身，这便是星湖的魅力所在。星湖山水融两者独特之处于一体，丽质天成，又加人工精琢，真可谓山青、水秀、峰峻、洞奇。星湖风光精华，被概括为“星湖二十景”：牌坊览胜、平湖幽堤、阆风夕照、玉屏叠翠、石林峭骨、虹桥雪浪、水月岩云、菘台揽月、石室藏奇、千年诗廊、碧霞映玉、天柱摘星、莲湖泛舫、阿波泉涌、桂轩留醉、杯峰浮绿、敞天石洞、月魄松涛、仙掌秋风、波海朝晖。

星湖湿地公园是我国第一批世界生物圈保护区，我国第一个国家自然保护区，同时也是我国第一个实施ISO140001的国家示范区，面积为1 596公顷。其中：七星岩为湖泊湿地、鼎湖山为森林湿地，湖泊面积达6.04平方千米。环境地形地貌的多样性，形成了动植物多样性的生态系统。

星湖湿地是飞禽的“天堂”，是鱼类的“乐园”，是动物的“沃土”。1 000多年来，人们在湿地上过着“日出而作、日落而息”无忧无虑的农耕生活。先民们在星湖湿地里种水稻、肇实、茨菇、莲藕、菱角，在水里养鱼虾、赛龙舟，在岸边种柳树，栽黄槿，植紫荆，插芦苇。这里的水生、陆生动植物，形成了一幅田园牧歌式和谐相处的图画。

星湖湿地公园的核心区在仙女湖，当乘坐游船进入仙女湖时，就会被眼前的美丽景色所陶醉。湖水达到了国家地表水环境质量Ⅱ类标准。水体中动植物丰富，为各种飞禽水鸟提供了优美的栖息环境和丰富的食物。20多个小岛如翡翠般镶嵌点缀在碧绿的湖水中，18个主要湿地景观如珍珠般洒落在清澈的湖泊里。这里，碧幽绝尘、清雅脱俗，灌木满岛、植被茂盛，水中羽杉、滩涂芦苇肆意生长，湿地水禽、鹭鸟飞翔，金沙碧水、蛙声鸟鸣，景观奇绝，充满自然、古朴的气息，犹如人间仙境。

40. 洱海

——高原明珠

洱海位于云南大理白族自治州，是一个风光明媚的高原淡水湖泊。因其状似人耳，故名洱海。洱海属构造湖，水面海拔1 972米左右，南北长41.5千米，东西宽3～9千米，平均水深10.5米，最深处达20.5米。

洱海气候温和，风光绮丽，景色宜人，素以“高原明珠”著称。海中有三岛：金梭、赤文、玉几；沿岸有四洲：马濂、鸳鸯、青莎鼻、大鹳淜；水有九曲：莲花、大鹳、蟠矶、凤翼、萝莳、牛角、波作、高品、鹤翥。三岛、四洲、九曲景致优美，是游览洱海、休闲度假的好地方。洱海四周有著名的洱海公园、喜洲海心亭、海舌、双廊风光等风景区，文物古迹错落有致地分布在洱海周围，著名的有天镜阁、水月阁、珠海阁和海中的观音阁、小普陀等。洱海风光以苍山雪和洱海月最为出名。

洱海畔的苍山又名点苍山，因山色苍翠而得名，山景以雪、云、溪著称。苍山由19座海拔都在3 500米以上的山峰组成。峰顶上终年积雪，银妆素裹，景色壮丽。“苍山雪”是大理风花雪月四景之一，苍山顶上有着不少高山冰川湖泊，还有18条溪水夹在19座山峰之间，缓缓东流，注入洱海。洱海与苍山紧紧拥抱，形成水天一色的苍洱风光，明代状元杨升庵留有“山则苍笼垒翠，海则半月拖蓝”的名句。

“洱海月”是大理四大名景之一。明代诗人冯时在《滇西记略》中说：洱海之奇在于“日

月与星，比别处倍大而更明”。如果在农历十五月明之夜泛舟洱海，其月格外的亮、格外的圆，其景令人心醉：水中，月圆如轮，浮光摇金；天空，玉镜高悬，清辉灿灿，仿佛刚从洱海中浴出。此外，洱海月之著名，还在于洁白无瑕的苍山雪倒映在洱海中，与冰清玉洁的洱海月交相辉映，构成银苍玉洱的一大奇观。

洱海景观，四季各不相同，即便是一天中的不同时辰，也是变化万千。随着四时朝暮的变化，各种景观呈现出万千气象，于是古人又为之归纳出了“洱海八景”，分别为：山海大观、三岛烟云、海景升天、岚霭普陀、苍波濞舟、四阁风涛、海水秋色、洱海月映。洱海的人文景观也非常丰富，“洱海八景”中的四阁风涛是指：天镜阁（位于海东）、珠江阁（位于洱海公园团山）、浩然阁（又名丰乐亭，位于才村海边）、水月阁（位于洱海北端双廊，与珠海阁遥相对峙）。岁月年深日久，四大名阁均已倒塌不全，但历代文人墨客在这些名阁之中所作的赞颂洱海风光的诗文佳句却留诸世间，向人们诉说着洱海的奇丽景观。

洱海是白族祖先最主要的发祥地。两汉时期，生活在苍洱地区的古代大理人开创了大理古文明灿烂的历史。到了唐宋时期，在大理建立的南昭政权和大理国，将大理的各族人民统一在祖国的大家庭中，为祖国西南边疆的统一和发展作出了巨大的贡献。可以说：洱海是白族的摇篮，也是大理古文明的摇篮。

41. 泸沽湖

——东方女儿国

泸沽湖距云南宁蒗县 72 千米，像一颗晶莹的宝石，镶嵌在滇西北高原的万丛山中。以清冽的湖水、秀丽的岛屿风光和摩梭人原始独特的母系氏族生活方式的民族风情著称。

泸沽湖是由断层陷落而形成的高原淡水湖，摩梭语“泸”为山沟，“沽”为里，意为山沟里的湖。它海拔 2 685 米，平均水深 40 米。这里地处偏僻，人烟稀少，湖水异常洁净，最大透明度可以达 11.5 米；泸沽湖四周崇山峻岭，一年有三个月以上的积雪期，但是湖水终年不冻，水体清澈，水质微甜。湖光秀丽，四时变幻：早晨，朝阳初露，湖水如染，一片金红；太阳徐徐上升，湖周青山，倒映其中，湖水变得翠绿；夕阳西下，风平浪静，湖水又成一片墨绿；夜晚的泸沽湖祥和而安静，如果站在湖边，只有山风一阵又一阵吹过，从远处飘来的歌声深沉而缠绵，一缕缕浸透着母爱的清香。夜色幽静，微风柔曼，星光闪动，如梦如幻。

泸沽湖不仅水清，而且岛美。它四周青山环抱，湖岸曲折多湾，湖中散布着 5 个全岛，3 个半岛，1 个海堤连岛。远看如一只只绿色的船，漂浮在湖面。其中，宁蒗一侧的黑瓦吾岛、里无比岛、里格岛被喻为“蓬莱三岛”。黑瓦吾岛位于湖心，距离湖岸落水村 2 500 米，岛上树木葱茏，百鸟群集，是南来北往的候鸟、野鸭的栖息之处，也是昔日永宁土司阿云山总管的水上行宫。曾旅居于此的美国学者洛克，在《中国西南古纳西王国》一书中赞美其

为“真是一个适合神仙居住的地方”。里无比岛与黑瓦吾岛相距 3 千米，处在一条直线上，岛上藤树茂盛，鸟语花香，红墙黄瓦，香烟缭绕，白塔倒影，凭添几分神韵。里格岛位于狮子山下，是泸沽湖北缘海湾内一个美丽的海堤连岛，三面环水，一条毛石小路与海堤相通，环境十分幽静。岛上住着十多户摩梭人家，古老的楞子房，都沿岛而筑，房舍门窗面对水面，开窗即可垂钓，悠然如在仙境。清乾隆年间所编的《永北府志》已将“泸沽三岛”列为胜景之一，文人墨客争相前往游览，咏诗作文赞颂。郡人谢秉肃的《泸湖三岛》诗云：

何处来三岛，苍茫翠色流。
鳞胸吞海气，缥渺壮边陲。
迭幢临波动，连峰倒影浮。
浦寒猿啸月，汀冷雁鸣秋。
雨后烟鬟净，云中螺碧幽。
乘槎如有约，即此是仙洲。

此诗生动地描写了泸沽湖三岛翠色流淌、缥缈壮观、月夜猿啸、深秋雁鸣，以及雨后洁净、云中幽深的奇丽景致。在泸沽湖乘船攀岛，如与仙人有约，令人陶醉。

在美妙绝伦的湖光山色间，生活着国内外罕见的延续着母系氏族特点的摩梭人，那独特的“阿夏”婚姻，自然而原始的民俗风情，为这片古老的土地涂上了一层神秘的色彩，被称为神奇的东方女儿国。

42. 滇池

——高原江南

滇池位于昆明市南的西山脚下，其北端紧邻昆明市大观公园，南端至晋宁县内，距市区5千米，历史上这里一直是度假观光和避暑的胜地。滇池因周围居住着“滇”部落或有水似倒流、“滇者，颠也”之说，故曰“滇池”。滇池为地震断层陷落型的湖泊，其外形似一弯新月。湖面的海拔高度为1 886米，南北长39千米，东西最宽为13千米，素称“五百里滇池”。

滇池风光秀丽，碧波万顷，风帆点点，湖光山色，令人陶醉。滇池水域，群山环抱，河流纵横，良田万顷，人称“高原江南”。

在滇池周围，有渔村和风帆点缀的观音山风景区；有花光树影的白鱼口空谷园；有绵亘数里、水净沙明的海埂湖滨浴场和秀美隽逸的大观楼公园等等，都是令人十分惬意的游览之地。特别是在绿波荡漾的彼岸，巍峨雄壮的西山之巅，水浮云掩，那湖泊的秀丽与大海般的玄境便呈现在你的眼前。滇池既有湖泊的秀丽，亦有大海的气魄。湖滨土地肥沃，气候温和，水源充沛，有利于灌溉和航行。昆明坝子盛产稻米、小麦、蚕豆、玉米、油料等作物，是云南著名的“鱼米之乡”。

现在的滇池，已是全国首批批准建立的12个国家级旅游度假区之一，也是唯一设在内陆省的国家级度假区。海埂公园紧靠滇池湖畔，整个公园沿滇池湖岸而建，垂柳绿茵、白浪沙滩，一派多姿多彩的南疆风光，是理想的天

然游泳场。在公园眺望湖对面高山上的西山森林公园，更觉赏心悦目。若是想登上西山游玩，公园里的大坝码头上，有渔民驾驶的渔船可渡过水面到达西山脚下；也可到海埂民族村坐缆车上西山，从缆车上俯视滇池，千重波涛，湖光山色尽收眼底。

大观公园位于昆明市城西，有近华浦和大观楼、楼外楼、花圃和柏园等游览区。园内花木繁茂，假山、亭阁、小桥、流水，景色极为优美。大观公园有大观楼长联闻名于世。大观楼最初建成于1828年，登楼四顾，景致十分辽阔壮观，便取名为“大观楼”。楼成，名人雅士争相登临，吟诗作赋。清乾隆年间，昆明寒士孙髯翁撰出180字的长联，轰动四方。联云：

五百里滇池，奔来眼底。披襟岸帻，喜茫茫空阔无边。看：东骧神骏，西翥灵仪，北走蜿蜒，南翔缟素。高人韵士，何妨选胜登临。趁蟹屿螺洲，梳裹就风鬟雾鬓；更蘋天苇地，点缀些翠羽丹霞。莫辜负：四围香稻，万顷晴沙，九夏芙蓉，三春杨柳。

数千年往事，注到心头。把酒凌虚，叹滚滚英雄谁在？想：汉习楼船，唐标铁柱，宋挥玉斧，元跨革囊。伟烈丰功，费尽移山心力。尽珠帘画栋，卷不及暮雨朝云；便断碣残碑，都付与苍烟落照。只赢得：几杵疏钟，半江渔火，两行秋雁，一枕清霜。

长联由清末著名学者、书法家，剑川人赵藩手书，字迹隽秀，笔力遒劲，为书法珍品。长联才情横溢，气魄宏大，状物写情，令人叫绝，被誉为“古今第一长联”、“海内第一长联”、“天下第一长联”。

43. 纳木错湖

——西藏圣湖

纳木错，藏语为“天湖”之意，蒙古语称“腾格里海”，是藏传佛教的著名圣地，闻名西藏的三大圣湖之一，信徒尊其为四大威猛湖之一。它位于拉萨当雄县和那曲地区班戈县之间。它的东南部是直插云霄、终年积雪的念青唐古拉山的主峰，北侧依偎着和缓连绵的高原丘陵，广阔的草原绕湖四周，天湖犹如一块碧玉镶嵌在藏北的草原上。湛蓝的天，碧蓝的湖，与远处的白雪，眼前的花草，交相辉映，织成了一幅大自然的美丽、动人的画卷，人身临其境，无不感到心旷神怡。纳木错以其瑰丽奇绝的高原风光和藏传佛教圣地而蜚声海内外。

纳木错湖面海拔 4 718 米，总面积 1 900 多平方千米，是中国第二大咸水湖，亦是世界上海拔最高的咸水湖，最深处达到 125 米左右。因为念青唐古拉山仰卧在整个纳木错的东南侧，它的顶峰白雪皑皑，终年不化，因此有了很丰富的冰雪融水不断补给纳木错。在西藏，念青唐古拉山被喻为纳木错的丈夫，而纳木错被喻为念青唐古拉山的妻子。可以说它们是山水相依，永不分离。此外沿湖有不少大小溪流注入，湖水清澈透明，水天相融，浑然一体，闲游湖畔，似有身临仙境之感。

纳木错湖水的颜色不染一丝世俗气息。人们面对天湖之水不仅能够感受到心灵的震撼，还能够获得一种灵魂的超越。千百年来，这片幽蓝而宁静的高原湖泊滋润着原野，也滋润着人们的内心，它是古老的藏族人民吟唱不

息的歌谣，珍藏在他们的灵魂深处。

纳木错平均水深三四十米，水呈一种不掺杂质的极其透明的蓝色，而且会随着不同的时间、不同的季节，变换不同的颜色。坐着橡皮艇划到湖中间，基本上能够看到湖下大概十三四米深处，甚至可以看到鱼在水下游动。清晨，湖面蔼蔼茫茫，周围群山若隐若现，太阳升起，云雾消散，清风拂面，浩瀚无际的湖面荡起涟漪，这时念青唐古拉山的主峰格外清晰，牧场一片浅绿色，山体红黑间杂，峰顶白雪皑皑。到了傍晚，湖水被夕阳的余晖照得霞光闪烁，很是迷人。

湖中5座岛屿兀立于万顷碧波之中，佛教徒们传说它们是五方佛的化身，凡去神湖朝佛敬香者，莫不虔诚地顶礼膜拜。其中扎西半岛居5个半岛之冠，岛上纷杂林立着无数石柱和奇异的石峰，有的壮如象鼻，有的酷似人形，有的形似松柏，千姿百态，惟妙惟肖。岛上还分布着许多幽静的岩洞，有的洞口呈圆形而洞浅短，有的洞里布满了钟乳石。岛上怪石嶙峋，峰林遍布，峰林之间还有自然连接的石桥，岛上地貌奇异多彩，巧夺天工，实属罕见。

生活在雪域高原上的纯朴的藏民是和天地最接近的人，恶劣的高原条件让他们对这里的山水有着深深的敬畏和自然的亲近，同时又给了他们纯洁的心灵和倔强的性格。自古以来，湖泊就是他们心中美好和幸福的象征。

在12世纪末，藏传佛教达隆嘎举派创始人达隆塘巴扎西贝等高僧，曾到湖上修习密宗要法，并认为是圣乐金刚的道场，始创羊年环绕纳木灵湖之举。信徒传说，每到羊年，诸佛、菩萨、护法神汇集在纳木湖设坛大兴法会，如人此时前往朝拜，转湖念经一次，胜过平时朝礼转湖念经十万次，其福无量。所以每到羊年，信徒不惜长途跋涉，前往转湖一次就感到心满意足，得到了莫大的安慰和幸福，这一活动，每到藏历羊年的四月十五达到高潮，届时僧俗云集，前后历时数月。

44. 青海湖

——候鸟王国

青海湖位于青藏高原东北部边缘，它是我国第一大内陆咸水湖，面积达 4 456 平方千米，环湖周长 360 多千米。湖面东西长，南北窄，略呈椭圆形。乍看上去，像一片肥大的白杨树叶。青海湖湖水平均深约 19 米多，湖水透明度可达 10 米以上，成为青藏高原上青色的海洋。

青海湖地处青藏高原的东北部，这里地域辽阔，草原广袤，河流众多，水草丰美，环境幽静。湖的四周被四座巍巍高山所环抱，从山下到湖畔，则是广袤平坦、苍茫无际的千里草原，而烟波浩淼、碧波连天的青海湖，就像是一盏巨大的翡翠玉盘平嵌在高山、草原之间，构成了一幅山、湖、草原相映成趣的壮美风光和绮丽景色。

青海湖在不同的季节里，景色迥然不同。夏秋季节，当四周巍巍的群山和西岸辽阔的草原披上绿装的时候，青海湖畔山青水秀，天高气爽，辽阔起伏的千里草原就像是铺上了一层厚厚的绿色的绒毯，那五彩缤纷的野花，把绿色的绒毯点缀得如锦似缎，数不尽的牛羊和膘肥体壮的骢马犹如五彩斑斓的珍珠洒满草原；

湖畔大片整齐如画的农田麦浪翻滚，菜花泛金，芳香四溢；那碧波万顷、水天一色的青海湖，好似一泓玻璃琼浆在轻轻荡漾。而当寒流到来的时候，四周群山和草原变得一片枯黄，有时还会披上一层厚厚的银装。此时的青海湖开始结冰，浩瀚碧澄的湖面冰封玉砌，银装素裹，就像一面巨大的宝镜，在阳光下熠熠闪亮，终日放射着夺目的光辉。

青海湖中的海心山和鸟岛都是游览胜地。海心山又称龙驹骢岛，面积约1平方千米。岛上岩石嶙峋，景色旖旎，自古以产龙驹而闻名。鸟岛位于青海湖的西北部，长近500米，宽约150米，面积仅0.8平方千米。这里巨石突兀嶙峋，矗立在波光澜影的湖中，形成了两座大小不一、形状各异的岛屿，这就是鸟岛——候鸟的王国，飞禽的天堂，一个喧闹的世界，繁忙的王国。每年5、6月份是游览飞鸟王国，观赏飞鸟的最佳季节。青海湖的鱼类资源和湖畔的植物资源为候鸟提供了丰富的食物饵料，这里便成了鸟儿们的“伊甸园”。

居住在这里的牧民热爱青海湖，敬仰它，崇拜它，不仅仅是因为它的博大和美丽，更重要的是因为它的神圣。这里的人民把青海湖视为神湖，牧民们虔诚地相信青海湖离天堂只有一步之遥。

45. 赛里木湖

——大西洋的最后一滴眼泪

赛里木湖位于中国新疆维吾尔自治区西部，丝绸之路的北道，天山西段的高山盆地中，乌鲁木齐——伊犁公路沿湖南岸穿过。湖面海拔2 073米，周长90千米，呈椭圆形，最大水深92米，是新疆海拔最高、面积最大的高山冷水湖，以神奇壮丽的自然风光享誉中外。赛里木湖有着诸多称谓：因是大西洋的暖湿气流最后眷顾的地方，所以被称作大西洋的最后一滴眼泪。当地人称赛里木湖为三台海子，因清代在湖的东岸设有鄂勒著依图博木军台（即三台）而得名。赛里木湖又称“西方净海”。蒙古语称“赛里木淖尔”，意为“山脊梁上的湖”。突厥语中“赛里木”为“平安”之意。而“赛里木”在哈萨克语中是祝愿的意思。因传说赛里木湖是由一对为爱殉情的年轻恋人的泪水汇集而成，又被称为天池和乳海。

赛里木湖湖水是由天山积雪融化而成的，所以水质分外纯净，浅底的细沙也粒粒可见。受断层线影响，赛里木湖岸线平直，略呈梯形，视野开阔。赛里木湖像一颗璀璨的“蓝宝石”高悬于西天山之间的断陷盆地中，湖中群山环绕，天水相映。隆冬季节赛里木湖瑞雪飞舞，银装素裹，雪涌水凝，葱翠的苍松与洁白的雪被交相辉映，构成一派北国林海雪原的壮阔景色；春夏季节，湖畔广阔的草地上，牧草如茵、黄花遍地、牛羊如云、牧歌悠悠、毡房点点，构成一幅充满诗情画意的古丝绸之路的画卷，可以使人们充分领略回归

自然的浪漫情怀与塞外独特的民族文化。

刮风的日子，在较高一些的地方看赛里木湖，只见墨蓝的湖面上惊涛滚滚，不时拍打在岸边的礁岩上，溅起数米高的水花。满目迷雾弥漫，水天朦胧，把湖岸的远山雪岭全然遮挡，其景色酷似大连海滨。如果是在天气晴好的清晨，便可见到浩瀚的湖面一平如镜，水色湛蓝，光照映天。放眼远岸，还可以看到天山山脉的层层雪峰和密密松林，在随风飘荡的云雾中时隐时现，倒映湖中，显得特别的静谧、神奇。

因长期以来流传着湖怪、湖心风洞、旋涡与湖底磁场等传说，还给美丽的赛里木湖蒙上了一层极富想象力的神秘色彩。近年有人总结了“赛里木湖十景”，即“金缎镶边”、“科山观松”、“净海七彩”、“湖心情侣”、“激浪拥堤”、“绿海珍珠”、“乌孙古家”、“富士东峙”、“赛湖跃金”和“松头雾瀑”。

46. 喀纳斯湖

——变色湖

喀纳斯是蒙古语，意为“美丽富饶、神秘莫测”，喀纳斯湖位于阿尔泰深山密林中，湖面海拔 1 374 米，面积 44.78 平方千米，湖水最深处达 180 米左右。湖面碧波万顷，群峰倒影，湖面还会随着季候和天气的变化而时时变换颜色，是有名的“变色湖”，每至秋季层林尽染，景色如画。

喀纳斯湖有几大奇观，一是千米枯木长堤，这是喀纳斯湖中的浮木被强劲谷风吹着逆水上漂，在湖上游聚堆而成；二是雨过天晴时才有的“峨眉绝景”——喀纳斯云海佛光；三是湖中有巨型“湖怪”（近年有人认为是当地特产的一种大红鱼），常常将在湖边饮水的马匹拖入水中，给喀纳斯湖平添了几分神秘色彩。此外还有图瓦族风情、阿勒泰岩画等都是十分具有吸引力的旅游资源。

喀纳斯湖正处于阿尔泰山森林带，原始森林环四周密布，是由新疆落叶松、新疆冷杉、新疆五针松为主的南泰加亚山林构成的森林。高大的五针松、落叶松形态婆娑，婀娜多姿，像一把把张开的巨伞；通直的云杉、冷杉，酷似一座座尖塔，气势雄伟，苍劲挺拔，遮天蔽日。景观原始独特，别具风格。也许正是它们干枯的枝干在湖上游堆积成了千米枯木长堤。

在湖西岸有座海拔 2 030 米的云遮雾绕的骆驼峰，峰顶有座观鱼亭。在其上俯瞰喀纳斯湖光山色时，在蓝天白云下，偌大的湖面宛若硕大的调色盘，湖水的颜色一片深、一片浅，一片蓝、一片绿；一片恰似羊脂玉，一片又似祖母绿，真是变幻万千，美不胜收。环顾四野，远处皑皑冰峰，姿态万千，近处云雾又似洁白的飘带，缠绕山间；周围是苍翠的针阔混交林，与辽阔的山间草

原连成一片，草原上繁花盛开，芳草萋萋。在远处的湖面上，还不时显现出明亮的光采。雨后初晴，山间湖面就会有彩虹出现。如果有幸，还能看到“佛光”，即看到自己巨大的身影映入天空，腾云驾雾，仿佛置身于“仙境”。

关于喀纳斯“湖怪”的传说，从古至今，绵延不绝，亦曾一度被炒得沸沸扬扬。居住在喀纳斯湖畔的蒙古族牧民，祖祖辈辈都流传着“湖怪”的故事。放牧在湖边的牛羊常莫名其妙地失踪，过湖的马鹿牛羊会突然消失在湖里，捕鱼的大网在湖中会不翼而飞。近些年来，也不断有游人、学者在湖里发现长达数米至十几米的大红鱼，后来由生物学家考察证实为哲罗鲑，系淡水冷水性肉食性鱼类，体侧银白，背面棕褐色，生殖期腹面和鳍呈橙红色，故称大红鱼。它在喀纳斯这样一个与世隔绝、人迹罕至的水域生存完全有可能。

47. 天山天池

——天山明珠

天山天池位于新疆阜康县境内的博格达峰下的半山腰，东距乌鲁木齐 110 千米，海拔 1 980 米，是一个天然的高山湖泊。湖面呈半月形，湖水清澈，晶莹如玉。四周群山环抱，绿草如茵，野花似锦，有“天山明珠”盛誉。古称“瑶池”，清乾隆时始以“天境”、“神池”之意命名为“天池”。

天池湖水系高山融雪汇集而成，水深近百米，清纯怡人。夏季是天池的黄金时代，湖水清澈，蓝碧如玉，而且温度很低，乘游艇在湖面上行驶，阳光下清风徐来，水波荡漾，博格达峰倒映湖中，山水交融，浑为一体，景色诱人，一阵阵凉风吹来，暑气全消，是避暑的好地方。

天池东南面就是雄伟的博格达主峰(蒙古语“博格达”，意为灵山、圣山)海拔达 5 445 米。主峰左右又有两峰相连。抬头远眺，三峰并起，突兀插云，状如笔架。峰顶的冰川积雪，闪烁着皑皑银光，与天池澄碧的湖水相映成趣，构成了高山平湖绰约多姿的自然景观。

大天池游览区内的著名水景有：

“天镜浮空”(即大天池湖面)：大天池湖面，传说是“王母娘娘的梳妆镜”。“天镜”呈半月形，酷似一个头南身北的葫芦，南段的三工河就是葫芦的把。

“大湾倒影”：大天池湖面西南部即“大湾子”处，风平浪静，峰林映湖，是观赏倒影的好地方。在大湾子观倒影，一定要掌握时间，天池白天刮上山风，夜晚刮下山风，换风时间一般在每天上午的九、十点钟，这时，天池风平

浪静，倒影如画，此景乃成。

“瑶池风帆”：天池南岸，一片松海。夏季运送枯木，从南至北无路可行，只得将木捆扎成排，放入池中顺水而下，此时须小扬风帆。放木排的最好时机，是在夜间刮下山风时，乘风破浪，顷刻即到目的地。放排工在风帆上点盏小灯，一为照明指航，二为图个吉利。他们站立于排上，掌舵扯篷。此时，人去鸟归巢，山睡林酣，万籁俱寂。

天池共有三处水面，除主湖外，在东西两侧还有两处水面。东侧为东小天池，古名黑龙潭，位于天池东500米处，传说是西王母沐浴梳洗的地方，故又有“梳洗涧”、“浴仙盆”之称。潭下为百丈悬崖，有瀑布飞流直下，恰似一道长虹依天而降，煞是壮观，因成一景曰“悬泉瑶虹”。西侧为西小天池，又称玉女潭，相传为西王母洗脚处，位于天池西北2千米处。西小天池状如圆月，池水清澈幽深，塔松环抱四周。如遇皓月当空，静影沉璧，风情无限，因而也得一景曰：“龙潭碧月”。池侧也飞挂一道瀑布，高数十米，如长河落地，吐珠溅玉，景称“玉带银帘”。池上有闻涛亭，登亭观瀑别有情趣。眼可见帘卷池涛，松翠水碧；耳可闻水击岩穿，声震裂谷。

48. 沙湖

——塞上明珠

说到西北，大多数人都会首先想到长河落日、大漠孤烟的雄浑与壮丽。然而在我国的西北要塞宁夏回族自治区，却有一个有沙又有湖，集塞外粗犷与江南秀丽为一体的天然景观，在这里沙与湖似乎是天造地设的一对姊妹，相映成趣。

我国西北部有句谚语："天下黄河富宁夏"，说的是流经宁夏平原的黄河水，浇灌了这里的大片农田，滋润着千里沃野，使宁夏成为一块美丽富饶的土地。奔腾不息的黄河水给宁夏带来了"塞上江南"的美誉，也在不经意间造就了一颗"塞上明珠"。出银川，沿着毛乌素沙漠边缘向北行 56 千米，在贺兰山脚下便可见到一个月牙形的湖泊，碧玉般地镶嵌在银川平原上，这就是沙湖。

沙是沙湖的灵魂。沙湖的沙之所以奇，是因为它远离沙漠而独立于大湖之旁，千年风吹而不移，万人攀踏而不坠，任凭风吹雨打，始终与湖相伴。沙湖周围的沙漠总面积 12.7 平方千米，沙丘连绵起伏，形态万状。沙山北缓南陡，大部分为固定沙丘，小部分为半固定、半流动沙丘。来到沙山，人们都会忍不住放开手脚，去体会那种"时人不识余心乐，将谓偷闲学少年"的情趣。沙与湖的巧妙结合，是沙湖的独到之处。这边是沙，那面是湖，湖是傍沙而卧，沙丘是靠湖而立，把南国的秀丽风光和北国的粗犷韵味结合在一起。这种景观在国内独一无二，在世界上也绝无仅有。

沙湖中的芦苇群形态多样，或是片状，或是块状，或是点状，一眼望去，一团团、一丛丛，疏密相间，玲珑剔透，繁星般地撒落在湖面上，一株株如书天之笔，一叶叶似挥军之旌。有人说，沙湖之美在于它的水；也有人说，沙湖之美在于它的苇。实际上，正是因为水和苇的有机结合才构成了沙湖的美。沙湖水烟波浩淼，芦苇簇簇，春凝霜露而洁净，夏受清霖而甘甜，秋接紫气而澄澈，冬蓄瑞雪而清冽。泛舟湖上，穿梭在曲折逶迤、左右纵横的芦苇港汊，可尽情去体会那“苇依水郁郁葱葱，水拥沙浩浩荡荡”的万千风情。

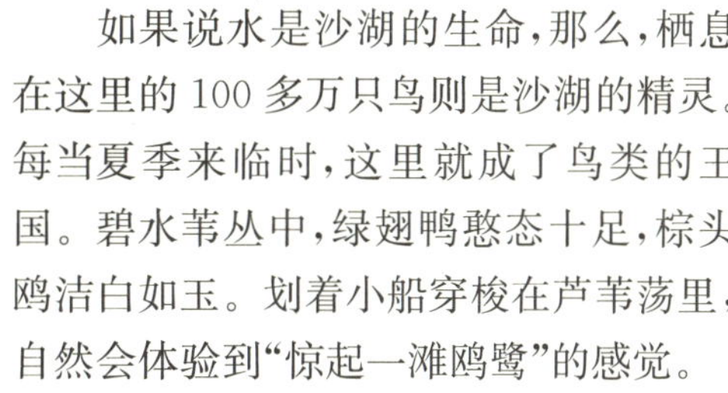

如果说水是沙湖的生命，那么，栖息在这里的100多万只鸟则是沙湖的精灵。每当夏季来临时，这里就成了鸟类的王国。碧水苇丛中，绿翅鸭憨态十足，棕头鸥洁白如玉。划着小船穿梭在芦苇荡里，自然会体验到“惊起一滩鸥鹭”的感觉。

古老而又年轻的沙湖，就像是一首无声的诗，又似一幅立体的画；既有沙海苍茫的粗犷神韵，又有江南水乡的钟灵清秀。它在西北的大漠戈壁荒滩，为人们展现了碧水黄沙、鸟飞鱼跃的生动景象。

49. 贝加尔湖

——世界最深湖泊

贝加尔湖意为“天然之海”。贝加尔湖最早出现在书面记载中是在公元前110年前，中国汉代的一位官员在其札记中称贝加尔湖为“北海”，这可能是贝加尔湖俄语名称的起源。湖呈长椭圆形，似一镰弯月镶嵌在西伯利亚南缘，是亚欧大陆上最大的淡水湖，也是世界上最深和蓄水量最大的湖泊，被誉为“世界之井”。长期以来，贝加尔湖以其无与伦比的水质、浩瀚无垠的壮阔美景和各种神秘现象著称于世。

贝加尔湖湖水清澈，其透明度为40.8米，居世界第二位。论面积，贝加尔湖在世界湖泊中只占第八位，不如非洲的多利亚湖和美洲大湖；但若论湖水之深、之洁净，贝加尔湖则无与伦比。贝加尔湖水质上乘，可以直接饮用，不必担心水中有病原体，因为贝加尔湖特产的端足类虾每天可以把湖面以下50米深的湖水过滤七八次，所以湖水相当“纯净”。无怪乎俄国大作家契诃夫曾描写道：“湖水清澈透明，透过水面就像透过空气一样，一切都历历在目，温柔碧绿

的水色令人赏心悦目……”

贝加尔湖的景色季节性变化很大。夏季，尤其是八月左右，是它的黄金季节。这时节，湖水变暖，山花烂漫，甚至连石头也在阳光下闪闪烁烁，像山花一样绚丽；这时节，太阳把萨彦岭重新落满白雪的远山照得光彩夺目，放眼望去，仿佛比它的实际距离移近了数倍；这时节，贝加尔湖正蓄满了冰川融水，像吃饱喝足的人通常所做的那样，躺在那里，养精蓄锐，等候着秋季风暴的到来；这时节，鱼儿也常大大方方地相约在岸边，伴着海鸥的啾啾啼鸣在水中嬉戏。路旁，各种各样的浆果，俯拾皆是——一会儿是齐墩果，一会儿是穗醋栗，一会儿是忍冬果……

冬天的贝加尔湖，凄厉呼号的风把湖水表面冻成晶莹透明的冰，冰层看上去显得那样单薄，水在冰下，宛如从放大镜里看下去似的，微微颤动，你甚至会望而不敢投足。其实，你脚下的冰层可能有一米厚也许还不止。春季临近之际，积冰开始活动，冰破时发出的巨大轰鸣和爆裂声似乎是贝加尔湖要吐尽一个冬天的郁闷和压抑。冰面上迸开一道道很宽的深不可测的裂缝，无论你步行或是乘船，都无法逾越，随后它又会重新冻合在一起，将裂缝处蔚蓝色的巨大冰块叠积成一排排蔚为壮观的冰峰。

50. 英格兰湖区

——造物主最晶莹的眼泪

英格兰湖区（LAKE DISTRICT）位于英格兰西北海岸，靠近苏格兰边界。方圆 2 300 平方千米，1951 年被划归为国家公园，是英格兰和威尔士的 11 个国家公园中最大的一个。如果说湖泊是传说中造物主的眼泪，那么英格兰湖区内的湖泊就是造物主最晶莹的几颗泪珠。水是这里的灵气之源，无论是广阔的温德米尔湖，还是小巧的格拉斯米尔湖，都让人感叹大自然雕琢之匠心。它以最富诗意的自然景观，被美国《国家地理杂志》推荐为“人一生必去的 50 个地方之一”。

一到英格兰湖区，你就会立刻感叹，一见钟情，不只对人，同样适用于景物。国家公园中，16 个湖，犹如 16 位美人。最出名的包括 WINDERMERE，GRASMERE，ULLSWATER，BUTTERMERE，RYDAL，WAST WATER，DERWENT WATER，CONISTON WATER 等。这里有水有山，英格兰的最高山峰 SELL PK，以及著名的 BORROWDALE 都在此地。它们有的安静，有的秀气，各种韵味，不一而足，静静地躺卧在山脉间。置身其中，你很容易就会迷失在美景中，忘了时间，有种“天上一日，地上十年”的感觉。著名的英国浪漫主义诗人济慈就曾赞叹温德米尔湖，说它能“让人忘掉生活中的区别：年龄、财富”。另一位英国著名诗人威廉·华兹华斯曾说：“我不知道还有什么别的地方能在如此狭窄的范围内，在光影的幻化之中，展示出如此壮观优美的景致。”是的，没有人知道，因为最好的已经在这里了。当你沿着湖边的林中小径散步，呼吸着湖上的氤氲雾气时，千万不要忘了带上纸和笔，也许，你的诗句会

诞生于刹那之间。

湖区周围的小镇是令人觉得很舒服的地方，它们大都掩映在树林中，或是建在湖边。沿湖边走边看，两旁的绿树是以如此美丽的姿态伫立在风中，更有许多被枫叶染红的美丽温馨的小房子。晚上，在玻璃窗上绘着秀气的图纹，中间亮着一盏昏黄的灯，就这样构成一幅令人赞叹的画面。在这如诗如画的湖边，捧一本经典的英文诗书，度过一个远离尘嚣的安静夜晚，实在是件无比惬意的事情。

春夏之交来到这里，满目翠绿，缎面般宁静的湖水，天鹅绒般的草坪，翠生生的好像一幅还未干透的水彩画。草地一隅人家一旁不起眼的地方，一扇小小的木栅栏，是通向桃源的秘径，连正午最灿烂的阳光也透不过树，脚下湿润的泥土生满鲜绿的苔藓，有潺潺的小溪流向湖边，水声鸟鸣回荡在耳边。从镇上的繁华要道钻入原始丛林，告别了人语车声，清冷的小径少有人烟，安静极了，连落叶飘零都会打扰这宁静。

遥远的风声、极目的原野、醉蓝的天空、大河小桥人家、威士忌酒香，湖区——一段生命旅程最接近天堂的地方。欣赏着如风景画般的山林美景，沉浸于英格兰特有的悠闲世界，贴近自然，感觉自己仿佛长了翅膀，飞向那美丽、静谧的天空。

51. 死海

——世界陆地最低点

死海位于亚洲西部巴勒斯坦、约旦、以色列之间，地处约旦和巴勒斯坦之间的南北走向的大裂谷地带中段。面积相当于中国最大的咸水湖青海湖的四分之一。湖面低于地中海海面392米，平均深度301米，最深的地方约400米，是世界陆地的最低处。

名声颇大的“死海”虽以“海”称之，但实际只是世界上著名的内陆咸水湖。死海原本是地中海的一部分，后来因地壳变化而与地中海分开，由于东西南岸被悬崖峭壁所束，始终没有和大海相通，而形成了一个内陆湖泊，所以是大自然在漫长的岁月中造就了死海。死海的种种神秘现象和海水的神奇疗养作用是吸引大量游客来此观光的主要原因。

死海海水看起来很美，水面平静如镜，死寂无声，没有一丝波纹，似乎连风都吹不起浪花来。死海两岸的山岩清清楚楚地倒映在水中，给海水投上了一抹嫩红。其实死海的水是碧绿清莹、黏稠如油的，深水处绿色浓些，浅水处绿色淡些，浓淡相间，煞是好看。由于这一地区气候酷热（年平均气温25摄氏度），水蒸发量极大，所以死海水面上总弥漫、飘散着一层柔柔的水雾，如同阿拉伯少女蒙在脸上的轻纱。

死海水体的含盐量高达25%～30%，而地中海的海水含盐量才只有3.5%。在海水含盐量如此高的水域中，除个别的微生物外，没有任何动植物可

以生存，所以这是它被称作死海的另一个重要原因。死海岸边的岩石均披上了一层盐壳，白中泛青，状似玉石，只有极少的喜盐植物断断续续、零零星星地散长在岸边，为这荒芜的土地增添了少许生机。

死海水也是矿物质成分最丰富的水体，尤其是溴、镁、钾、碘等含量极高。大多数海水只含有3%的矿物质，而死海却含有33%之多，就连因含有20%矿物质而号称世界第二的犹他大盐湖也自愧不如。自古以来，死海水的医疗保健功效便为人们所知晓。据说，公元前51年至公元前30年，埃及的女王克娄巴特拉就曾用死海水疗伤。古希腊哲学家亚里士多德也曾在他的著作里述及过死海的功用。

死海的空气是地球上最干燥、最纯净的，氧气浓度也是世界上最高的，比海面上的含氧量高10%，加上死海海水含有许多用于镇静剂的溴，所以，人们一来到这里便感到全身放松，容光焕发。此外，死海地区的紫外线长波的浓度比世界上其他地区都高，而紫外线长波是治疗牛皮癣的良药。死海独特的自然景观和医疗作用，吸引了世界各地的游客纷至沓来。

到死海一游，无疑是令人难忘的经历。在这里，水性再好的游泳健将也无法潜到水下，只能自叹英雄无用武之地。而泳技平平的人，却能够悠然自得地躺在水面上，仰望蓝天白云，环顾周围赭红的山峦，观赏露出水面的根根盐柱、座座盐山，如果有雅兴，还可以拿着书报躺在水面上慢慢浏览，但觉心旷神怡，目清气爽。

52. 马拉维湖

——涨落有序的火焰

马拉维湖地处莫桑比克、马拉维和坦桑尼亚三国之间，是当今世界上的一个奇异湖泊。湖名在当地尼昂加语中是火焰的意思，原指金色的太阳照射在湖面上，湖水泛起了一片耀眼的火焰般光芒。马拉维湖不仅风光绮丽，而且湖水有神秘的涨落现象。在马拉维湖周围，除南部外，三面层峦叠嶂，风景秀丽。青翠挺拔的山峰相对耸立在狭长的湖面两岸，形成两道壁嶂，景色极为壮观。

由于整个湖区位于裂谷地段，青山绿水，云蒸雾绕，好似浮悬在半空之中的一处仙境。深入湖区，仰望绝壁险峰，瀑布奔泻，银线飞舞；遥望湖湾水域，微波细浪，茫茫无涯。马拉维湖风光旖旎，集多种佳景于一身，有的地方高崖环绕，惊涛拍岸，有的地方又如草原流水潺潺，特别是北部湖区，被誉为中南非洲最壮丽的湖光山色。加之湖区地带气候温暖，水源充足，土地肥沃，花草茂盛，历来就是非洲游览胜地，每年都有很多来自世界各地的游客光顾。

马拉维湖之奇，还在于它的水位涨落有序。上午 9 时左右，湖水开始消退，直至水位下降到 6 米多才中止；大约“休憩”两小时，湖水继续消失，直至现出浅滩才渐渐停息。4 小时后，“退避三舍”的湖水络绎返回“家园”，马拉维湖又逐渐恢复了原有的丰盈姿容。下午 7 时，湖水又开始骚动，只见水位

不断上升，直至洪流漫溢，倾泻八方；大约 2 小时后，湖面才变得风平浪静。但是，马拉维湖的水位消长并无一定规律，有时一天一度，有时数日一回，有时又数周一次，但每次都是上午 9 时左右开始“故伎重演”，前后持续约 12 小时。这种奇特现象虽经各国地理学家多年探究，至今仍未解谜。

此外，由于处在热带地区，马拉维湖一年四季都有明显的分层现象：下层滞水带水温很低，而表水层温度发生跃变，终年暖洋洋的。

53. 图尔卡纳湖

——碧玉海

在东非大裂谷东支上，像串珠一样地分布着许多湖泊，其中一个叫“图尔卡纳”湖。图尔卡纳湖位于肯尼亚北部，与埃塞俄比亚边境相连。它是东非大裂谷和肯尼亚最大的内陆湖，是非洲大湖中最咸的一个，也是世界上最大的咸水湖之一。

图尔卡纳湖以它美丽的湖泊风光、古老的文化而闻名于世。图尔卡纳湖水碧绿，从高空俯瞰，在死火山的环抱之中，它仿若一块巨大的翡翠，因此又名“碧玉海”。

图尔卡纳湖拥有种类繁多的动植物，由于它是非洲大湖中最咸的一个湖，又地处沙漠地带，从而为研究动植物的学者提供了一个特殊的生态实验场地，被联合国教科文组织指定为进行干旱地区研究的一个生物保护区。

图尔卡纳湖湖心有三座相连的小岛，岛上长满翠绿的草丛，湖水清凉，为迁徙的水鸟提供了中转站，同时也为尼罗河鳄、河马和各种毒蛇等提供了良好的繁殖地和栖息地。这里的石化森林已有 700 万年历史。图尔卡纳湖的鱼类极其丰富，盛产尖吻鲈、虎鱼、多鳍鱼和各种罗非鱼，鱼的个头也比较大，有的长达数米。这里是尼罗河鳄鱼的主要繁育基地，有 1 万多条鳄鱼

在这里繁衍生息，是世界上最大的鳄鱼群之一，有的鳄鱼长达 10 多米，甚至能够顶翻湖中的木船。河马也时有所见。此外，还有瞪羚、长角羚、狷羚、扭角牛羚、小弯角羚、斑马、狮子、猎豹等哺乳动物。水生和陆生鸟类超过 360 种，有大批水鸟、候鸟和留鸟，这里还是迁徙鸟类如莺、浜鹬的中转站。

图尔卡纳湖是人类的发祥地之一，在很早以前就有人类居住。图尔卡纳湖的东岸是一个叫作库比福勒的丘陵地带，地表崎岖，气候干热，人迹罕至。1967 年，肯尼亚考古工作者在这里发现了大批古人类化石、旧石器和古哺乳动物化石，其中有些石器的年代竟然距今 260 多万年，从此默默无闻的图尔卡纳湖声名远扬。

54. 坦噶尼喀湖

——谷底明镜

东非高原的断层陷落湖坦噶尼喀湖，像一条绿色的带子飘落在东非大断裂谷的南段。坦噶尼喀湖分属非洲四国：东岸大部分属坦桑尼亚；东北端有一部分属布隆迪；西岸属扎伊尔；南岸属赞比亚。

坦噶尼喀湖是世界上最狭长的湖泊，也是非洲第二大湖，湖区最深处达1 470米，是非洲最深的湖泊，仅次于俄罗斯的贝加尔湖，是世界第二深湖。坦噶尼喀湖辽阔壮丽的风光和湖区丰富的鱼类、鸟类资源每年都吸引着大量世界各地的游客前来观光旅游。湖水由马拉加拉西河、鲁齐齐河以及多条小溪流汇入，西经卢库加河转入刚果河，泻入大西洋。

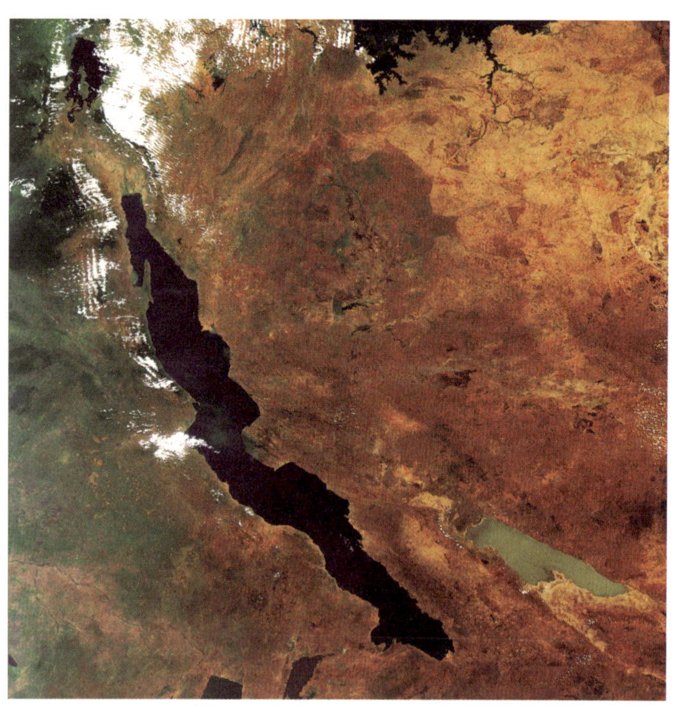

站在坦噶尼喀湖畔，给人的感觉就如同是站在了湛蓝的大海边一样，云、光、山、水、色，气势磅礴，变幻无穷。当风和日丽的时候，聆听着水打沙滩的声音，使人心潮澎湃。望湖面波光云影，木舟点点；极目远眺，还可以望见一湖之隔的坦桑尼亚境内那连绵起伏的群山，与云、水、天融为一体，显得格外的风光绮丽。当乌云涌来，雷雨之后，放眼望去，又见满湖烟雾腾腾，浪花飞溅，七色彩虹便不期而至，一桥飞架南北。而当落日西坠之时，湖面又被映照得金光闪烁。当金色的余晖洒向那些头顶各类物品、身着耀眼色彩服装，为生计而忙碌不停的人们身上时，仿佛是将自己置身于一个多彩的油画世界！周末，椰树婆娑的沙滩上出现了五颜六色的遮阳伞，人们在湖边游泳、钓鱼、晒太阳，水上俱乐部的摩托快艇在宽阔而又平静的湖面上掀起一道道白色的浪花。

55. 乍得湖

——天然渔场

乍得湖位于乍得、喀麦隆、尼日尔和尼日利亚四国的交界处，是非洲第四大湖，也是世界著名的内陆淡水湖。“乍得”一词，在当地语言中意译为“水”，用作湖泊的名称，有“一片汪洋”的意思。

乍得湖水质优良，水浅，温度高，是一个天然渔场。尽管它和其他水系隔绝，但是，所产的鱼种几乎和周围的水域没有两样。湖区是非洲重要的淡水鱼产地之一，出产大量的泥鳅鱼、尼罗河鲈鱼、鲶鱼、河豚、虎形鱼等。湖区周围居住着 5 000 多户人家，几乎家家都是靠捕鱼为生。漫步湖畔，只见渔民们驾着小舟用刺网、鱼笼或布置钩线的办法捕鱼，劳动的场面既紧张又

热烈。有些渔民凭借一个特大的葫芦，浮游水中，用鱼叉叉鱼，百发百中，原始而有趣。这些渔民虽然分别属于四个国家的不同民族，但他们相互谦让，和睦相处，亲如一家。人们经常划着渔船，带着土特产，聚集在湖滨浅滩草丛中，临时组成一个小型集贸市场，出售或交换土畜产品。

乍得湖四周的浅水，生长着茂密的芦苇和纸草，它们是用来编织日常生活用品和工艺品的原料，更是用来造纸的上等原料。湖区东部被水道隔成很多岛屿，岛上空气新鲜，鲜花盛开，风景优美，为发展旅游业提供了方便条件。

56. 纳库鲁湖
——世界最大的鸟类栖息地

纳库鲁湖坐落在肯尼亚裂谷省首府纳库鲁市南部，面积 188 平方千米，海拔 1 753～2 073 米。1960 年，肯尼亚为保护禽鸟专门将纳库鲁湖连同附近的草地、沼泽、树林和山地划为鸟类保护区，1968 年正式辟为国家公园，是非洲地区为保护鸟类最早建立的国家公园之一。这里是世界上最大的鸟类栖息地，园中约有 450 种禽鸟，最著名的是火烈鸟。在这一带生活的火烈鸟最多时约有 200 多万只，占世界火烈鸟总数的 1/3。

平如镜面的蓝色湖水，倒映着火烈鸟美丽的身影，如梦如幻。纳库鲁湖国家公园也是动物的天堂，栖息着 400 多种、数百万只珍禽异兽。在湖边的草丛里，斑马悠闲地吃草，狒狒大模大样地散步，羚羊行色匆匆，与人们保持着一定的距离，野牛对人们的到来表现出好奇，小鸟调皮地落在牛背上唱歌，犀牛对人们视而不见，长颈鹿优雅地向人们行注目礼，野猪闷头赶路，大象则不慌不忙地从车前走过……

纳库鲁湖最亮丽的当然还是火烈鸟群栖的风景。这里的火烈鸟有大小两种，大的身高 1 米，长 1.4 米，数量较少；小的身高 0.7 米，长 1 米，数量较多。它们都是长腿、长颈、巨喙，很像白鹤，但全身羽毛呈淡粉红色，两翼两足色调稍深。火烈鸟的嘴极其别致：长喙上平下弯，尖端呈钩状。一群火烈鸟往往有几万只甚至十几万只，它们或在湖水中游泳，或在浅滩上徜徉，神态悠闲安详。兴致来时，它们轻展双翅，翩翩起舞。这时的纳库鲁湖则是湖光鸟影，交相辉映，一片绯红。而一旦兴尽，它们就振翅高飞，直上云天，仿

佛腾起大片的红云。这一奇特的变幻，被誉为“世界禽鸟王国中的绝景”。为观赏这一奇景，每天都有大批游客从世界各地来到纳库鲁湖。

“火烈鸟吃什么?”

看着这铺天盖湖的火烈鸟群，肯定会有人替它们担忧。就算每只鸟每天吃一条鱼，那也是天大的数字了。也许是一方水土养一方之物，火烈鸟以藻类、小虾等为食。纳库鲁湖地处火山带，湖水的盐碱度很高，生长着丰富的蓝绿藻和矽藻，保证了火烈鸟的基本口粮。因此，涉行浅滩觅食的火烈鸟有着永远吃不完的美食。

由于当地气候改变以及纳库鲁湖国家公园附近的环境污染，已经影响到纳库鲁湖自然生态的平衡，科学家们越来越担心水里的重金属如铅、锌、水银等会被藻类所吸收，而这些藻类正是火烈鸟的食物。许多环境保护者和环境保护机构正在极力呼吁保护纳库鲁湖国家公园的生态环境。

远远眺望纳库鲁湖，一只只火烈鸟或在空中自由飞翔，或徜徉湖畔引吭高歌，构成了一幅闪动着的粉红色的美丽图画。但愿这让人终生难忘的美丽景象，在 100 年甚至 1 000 年之后，人类还能目睹，还能为之激动。

57. 五大湖

——北美风光带

位于美国和加拿大交界处的五大湖举世闻名。它们按大小分别为苏必利尔湖、休伦湖、密歇根湖、伊利湖和安大略湖。五大湖湖面高程自西向东呈阶梯式下降:苏必利尔湖与休伦湖形成多急流的圣玛丽斯河;密歇根湖和休伦湖水位相平,休伦湖与伊利湖形成圣克莱尔河急流;伊利湖与安大略湖水之间形成尼亚加拉河急流,流程的一半处形成世界著名大瀑布——尼亚加拉瀑布,湖水经安大略湖口进入圣劳伦斯河最后注入大西洋的圣劳伦斯湾。

苏必利尔湖中主要岛屿有罗亚尔岛(美国国家公园之一)、阿波斯特尔群岛、米奇皮科滕岛和圣伊尼亚斯岛。沿湖多林地,风景秀丽,人口稀少。苏必利尔湖水质清澈,湖面多风浪,湖区冬寒夏凉。季节性渔猎和旅游为当地娱乐业的主要项目。

休伦湖为北美五大湖中的第二大湖,是第一个为欧洲人所发现的湖泊,湖名源出休伦族印第安人。东北部多岛屿,沿湖为游览区。

密歇根湖，也叫密执安湖，在北美五大湖中面积居第三位，是唯一全部属于美国的湖泊。湖北部与休伦湖相通，北端多岛屿，以比弗岛为最大。沿湖岸边有湖波冲蚀而成的悬崖，东南岸多有沙丘，尤以印第安纳国家湖滨区和州立公园的沙丘最为著名。湖区气候温和，大部分湖岸为避暑地。

伊利湖，是北美五大湖的第四大湖，东、西、南面为美国，北面为加拿大，是五大湖中最浅的一个，湖水由东端经尼亚加拉河排出。岛屿集中在湖的西端，以加拿大的皮利岛为最大。西北岸有皮利角国家公园（加拿大）。

安大略湖，是北美五大湖中最东和最小的一个，北为加拿大，南是美国，大致成椭圆形。著名的尼亚加拉大瀑布上接伊利湖，下灌安大略湖，两湖落差 99 米。湖水由东端流入圣劳伦斯河。

58. 沃特顿湖区

——古老造物的幻化

沃特顿湖位于加拿大西南部艾伯塔省与美国西部蒙大拿州交界处，落基山脉从这里穿过。远古时期，这里曾经是茫茫大海，后来由于造山运动，此处隆起为高山。在200万年前的第四纪冰期，巨大的冰川刻蚀山岩，形成了到处可见的岩壁陡峭而底部宽阔的冰川谷，后经冰雪融化形成了650多个湖泊。

沃特顿湖区夏季晴朗凉爽，冬季湿润多雪。两种相对的气流强烈影响沃特顿湖区的气候，一种是干冷的来自北极大陆的冷空气，另一种是对沃特顿影响相对较大的来自太平洋的湿润空气。

沃特顿湖区年平均风速达每小时32千米，在冬季的个别日子里，风速超过每小时120千米。北美特有的奇努克风使这里冬季的气温在大部分日子里都保持在零度以上，使得这里成为加拿大冬季最温暖的地区之一。奇努克风是一种强烈的干暖西风，冬春两季从太平洋海面上吹向美国西部海岸和加拿大西北部海岸，并顺着落基山脉南下，对北美洲的气候有较大的影响。为了保护这里的美景，美国和加拿大在1932年共同建立了沃特顿——冰川国际和平公园(WATERTON—GLACIER INTERNATIONAL PEACE PARK)，公园由加拿

大的沃特顿国家公园（WATERTON LAKES NATIONAL PEACE PARK）和美国的冰川国家公园（GLACIER NATIONAL PARK）组成。这两座公园在地理上浑然一体，只不过被国界线隔开了。

公园内，建有总长为1 360千米的公路。湖泊密布是沃特顿国家公园的特色之一，从北向南依次是罗乌亚湖、米德尔湖、阿帕湖和沃特顿湖。其中沃特顿湖和沃特顿国家公园一样，都是为了纪念英国自然科学家查尔斯·沃特顿而命名的，查尔斯·沃特顿对沃特顿国家公园的环境保护以及公园的设立做出了很大的贡献。

在沃特顿湖区，冰川的侵蚀对地形的塑造起了决定性作用，冰川表面上看上去静止，但能量十分强大，在过去和现在一直不停地塑造着沃特顿湖区独特的地表，创造出了沃特顿湖区独特的山脉与大草原相连的景观。冰川国家公园正是因其园内冰川密布而得名。公园的中央是落基山脉险峻的雪峰，雪线以下生长着冷杉等高寒植物。山脉北侧发育有加登华和格林奈尔等现代冰川。

沃特顿湖区最古老的岩层是远古海洋时期沉积形成的沉积岩，它们已经有15亿年的历史。在这一岩层里，经常可以发现古代海洋生物化石。沃特顿湖区有种红绿相间的板岩，在阳光的照射下，非常耀眼。这种岩石红色的成分是氧化铁，绿色的成分是非氧化铁。

沃特顿湖区地形的复杂导致了生物的多样性。沃特顿湖区生长着250种鸟类、240多种鱼类、上千种昆虫、1 200多种植物和近300种地衣植物，其中有18种是这里特有的植物。这里还生活着60多种哺乳类动物，其中有美洲熊和美洲野牛等珍稀动物。湖区的爬行动物种类不多，但是它们在维护生态平衡方面的意义不比大型哺乳动物逊色。它们使得沃特顿湖区同时成为一座动物的天堂。

59. 的的喀喀湖

——印第安圣湖

的的喀喀湖是南美洲地势最高、面积最大的淡水湖，湖面海拔3 821米，也是世界上海拔最高的大船可通航的湖泊。它位于玻利维亚和秘鲁两国交界的科亚奥高原上，被称为“高原明珠”。在印第安人语言中，“的的喀喀湖”意为“美洲豹的山崖”或者“酋长的山崖”。

的的喀喀湖承接着源源不断的高山雪水，在25条河流的汇入之下，面积达到8 330平方千米，湖面最宽处达80千米，平均水深140～180米，最深处有280米，如大海般浩瀚。这里海拔高而不冻，处于内陆而不咸，是南美洲印第安人文化的发源地之一，被印第安人称为“圣湖”。的的喀喀湖湖水淡绿晶亮，清澈见底，谁见了都忍不住想亲口品尝。波光粼粼的湖面上，你可以看到大片翠绿的香蒲，香蒲丛中，水道纵横交错。生活在湖上的乌罗人常常单人划着用湖中的芦苇和香蒲编织成的“托托拉”小船在水道上游弋，进入其中颇有闯入不知魏晋的桃花源境地之感。的的喀喀湖周围群山环绕，峰顶常年积雪，巍峨的高山映衬于柔美的湖水之中，在刚与柔之间，更显出它独有的风姿。

湖中有日岛、月岛等51座岛屿，大部分有人居住。其中，日、月两岛的岩石呈棕、紫二色，湖光岛色，交相辉映，格外美丽。最大的岛屿的的喀喀岛有印加时代的神庙遗址，这里在印加时代就被视为圣地，至今仍保存有昔日的寺庙、宫殿残迹。而在其他岛屿周边的湖底，甚至还发现了一座水下古城遗

迹。20 世纪 80 年代，摩洛哥一位海底探险家潜入的的喀喀湖湖底，发现这里有不少奇怪的生物，其中之一是一种从未见过的大青蛙。这种青蛙肤色大多是浅灰色、绿色和黑色，栖息在幽深的湖底，从不上浮，估计至少有 1 200 多万只。

蒂亚瓦纳科文化遗址就在的的喀喀湖东南 21 千米处。在那里，可以看到许多巨大的石像和石柱，其中最著名的古迹是雨神“维提科恰”的石雕像。这里还有闻名于世的“太阳门”。紧挨着“太阳门”，一个用石头砌成的长方形台面，这是古代印加帝国祭祀太阳神的祭坛。

河谷里灿烂的阳光、肥沃的土地、温暖的气候和美丽的风景，使这个地球上海拔最高的湖泊不但没有显出“高处不胜寒”的孤独，反而拥有了一种独一无二的诱人魅力。的的喀喀湖，神奇又神秘，文明气息和自然野趣完美结合，使这颗高原明珠散发着隽永的魅力。

60. 埃尔湖

——时隐时现的神秘湖泊

埃尔湖位于澳大利亚的中部平原上，面积约为 8 200 平方千米。由于澳大利亚中部平原本身海拔不到 200 米，而埃尔湖的湖面约低于海平面 12 米，这里遂成为澳大利亚的最低点。

埃尔湖分南、北两湖，南湖较小，北湖较大，两湖由 15 千米的戈地亚渠连接。下雨时雨水从远处的山上流入干涸的河道。只有在雨水很多的年头，水才流经戈地亚渠。大部分的水沿途蒸发掉或渗入沙中。若雨下得很大，有些水最终可以流到埃尔湖，流程长达 1 000 千米。

埃尔湖四周是一片干涸的土地：北面是辛普生沙漠，东西两面是布满丘壑的平原，很难通过；南面是一串盐湖和干涸的盐洼，几乎见不到水的踪迹，常有海市蜃楼出现。

1839 年，25 岁的埃尔从阿德莱德出发，希望成为第一个从南到北穿越澳大利亚的欧洲人，但是并未成功。1840 年，他再次尝试，终于到达了现在以他的姓氏命名的埃尔湖。当时湖水虽已干涸，但湖底的淤泥使他无法继续前进。

1860 年，一个勘探队来到这里，发现这个干涸了的湖盆中蓄满了水，已经成为一个大盐湖。第二年，勘探队又来到这里，准备将湖泊范围测绘出来，谁知道它又消失不见了。1922 年，哈里根从空中测绘了埃尔湖，发现北湖有水。但是次年当他徒步到达湖边时，看到水少得只能勉强浮起一艘

小船。

原来，这个湖不是常年湖，而是一个时令湖。每隔三年左右，它就要“失踪”一次。埃尔湖的湖水主要来自河水和雨水。当降雨量较大时，湖的面积可达 8 200 平方千米；而降雨量较小时，湖水被大量蒸发，湖就干涸见底了。因此它在地理学辞典中的面积是“0～8 200 平方千米”，没有一个固定的数字。只要有水，埃尔湖总会显得生机勃勃，光秃秃的湖岸这时便会繁花似锦，长满雏菊和野蛇麻草等植物。艳红色的斯图特、沙漠豌豆等植物会突然抽出芽来，迅速开花结子，赶在水分消失前完成其生命循环。雨水也使藻类复苏，使埋在泥中的虾卵迅速孵化。不久鸟儿飞来，其中有野鸭、鸬鹚等，有些甚至是飞越半个澳大利亚前来的，它们觅食河里的鱼虾。埃尔湖在此时才变成了热闹的场所。

但在来水中断后，湖水在高温下很快蒸发，盐分逐渐增加。各种动物都要争分夺秒，雏鸟须在湖水干涸之前成长，学会飞行，因为一旦湖水干涸食物缺乏，成鸟就会离开，把羽翼未丰的幼鸟弃下不顾。淡水鱼无法逃生，只能死在咸水湖中。最后，埃尔湖再一次彻底干涸，在湖底淤泥上盖起一层硬硬的盐壳，一片荒凉，只能等待着新的雨季带来生机。

叁 海滨

61. 北戴河

——天开图画成乐土

康有为有诗云:“天开图画成乐土,人间蓬莱似列仙”,这就是北戴河。北戴河海滨位于秦皇岛西南15千米处,北有联峰山作屏障,南临茫茫沧海。风光明媚,气候宜人,春无风沙,冬无严寒,秋季天高气爽,夏季最热的农历六七月,平均气温也只有23摄氏度。自古就是著名的游览避暑胜地。

整个风景区,东自鸽子窝、金山嘴起,西至戴河口止,为一条狭长的沿海地带。翠黛的山峦,明净的海滩,幽静的别墅,优美的园林,把海边长廊装点得绚丽多彩。这里名胜古迹很多,号称二十四景。主要有联峰山、鹰角亭、通天涧、骆驼石、对语石、观音寺、韦陀像、莲花石公园等,这些名胜都各有情趣,引人入胜。

北戴河的美，美在它的海。22.5 千米长的海岸线上，沙滩和礁石，相互交错；海湾和岬角，依次排开。沙滩松软洁净，堪称北方第一；礁石造型奇特，引人无限遐想。北戴河的海水浴场宽阔开敞，沙软潮平，无论是在海里弄潮，还是在沙滩沐日，都会给人们带来极大的乐趣。最吸引游人的是老虎石浴场，海内有巨石数块，突出海面，状如群虎盘踞。浴后登立于岩石之上，放眼看沧海，水天一色，海浪击石，洪波万里，海鸥翔集，鸣声欢快，令人襟怀开阔。

北戴河在中国历史上曾留下过华丽的浓彩与炽热的情怀。千古一帝秦始皇，雄才大略汉武帝，志在千里曹孟德，一代明主唐太宗，均在此留下了他们的足迹；康有为、徐世昌、朱启玲、张学良等风云人物，在这里上演了一幕幕历史活剧；新中国的毛泽东、邓小平等领导人和他们的战友们，在这里作出了许多关乎国家命运的重大决策。

62. 蓬莱岛

——人间仙境

蓬莱又称“蓬壶”，位于山东半岛的最东端，是传说中的三座神山之一。它历史悠久，风景秀丽，文化积淀深厚，文物古迹众多。有驰名中外的蓬莱阁，有迄今保存最完整的中国古代水军基地——蓬莱水城，有民族英雄戚继光表功祠和戚氏牌坊等，加之“海市蜃楼”奇观和“八仙过海”传说，素以“人间仙境”著称于世。

蓬莱阁在蓬莱市区西北的丹崖山上，包括三清殿、吕祖殿、苏公祠、天后宫、龙王宫、蓬莱阁、弥陀寺等几组不同的祠庙殿堂、阁楼和亭坊。自宋嘉裕年间起，历代都进行了扩建重修。登阁环顾，神山秀水尽收眼底。

由于得天独厚的地理环境，这里不仅一年四季景色各异，就连一日之间也变幻无穷。清晨，在观澜亭看红日初升，霞光万道，蔚为壮观；黄昏，漫步阁下赏晚潮万顷，富有诗情画意。世传蓬莱有十处仙景，“海市蜃楼”即为其一，蓬莱阁正是观赏“海市蜃楼”奇异景观的最佳处所。每年春夏、夏秋之交，天晴海静之日，这里时有海市出现。是时海上劈面立起一片山峦，或奇峰突起，或琼楼迭现，时分时聚，缥缈难测，不由人不心醉神迷。千百年来，慕名而至的文人墨

客络绎不绝，虽然大饱眼福的人不过十之一二，但却留存了观海述景的题刻200余石。近代爱国将领冯玉祥也为此题写了“碧海丹心”四个遒劲有力的鲜红大字。

蓬莱主阁西侧有两亭，一是卧碑亭，碑上刻有《海市》诗；二是“避风亭”，居高临海，任凭海风呼啸，亭却纹丝不动，烛火不惊。亭下有一天然石洞，高出水面数米，洞外一巨石，形似雄狮卧伏，海涛呼啸如狮吼，故称狮子洞。雨季时节烟雨缕缕，缥缈虚幻，故有“狮洞烟云”之说。

蓬莱阁下，有一座蓬莱水城，又名备倭城。水城沿着丹崖绝壁向南筑起，为我国现存的古代海军基地之一，原为宋代边防水寨“刁鱼寨”旧址。明洪武九年（公元1376年），依势构筑城墙，引海水入内，以停泊船舰，操练水师。水城进可攻，退可守，实为一严密的海上防护体系，在我国海港建设史上占有重要地位，具有极高的历史文物价值。

虚幻的琼楼玉宇为古老的“蓬莱仙境”增添了神奇的色彩。如今，整修一新的古阁，又焕发出炫目的光彩，以崭新的姿态迎接着游人，激发着人们对美好未来的追求。

63. 青岛

——碧海蓝天的宠儿

黄海之滨，胶州湾畔，有一座掩映在红瓦绿树中的美丽城市——青岛。青岛一面依山，三面环海。山色葱郁，海岸迂回曲折，以优美的海滨风光和优良的海滨浴场著称。

青岛海是一幅色彩斑斓的油画，是海与天，海与长而平缓的沙滩，海与小岛和山脉组成的城市背景。青岛海滨风景区是青岛浪漫海岸上的一条最美的风景观光带。这里有蔚蓝的大海、赭红的礁石、金色的沙滩、碧绿的海岬、青翠的岛屿和婉蜒多情的海岸线。

青岛第一海水浴场位于汇泉湾畔，拥有长 580 米、宽 40 余米的沙滩，曾是亚洲最大的海水浴场。这里三面环山，绿树葱茏，现代的高层建筑与传统的别墅建筑巧妙地结合在一起，景色非常秀丽。海湾内水清波小，滩平坡缓，沙质细软，作为海水浴场，自然条件极为优越。

青岛第二海水浴场，位于汇泉湾东侧的太平湾内，岸边是红褐色岩石，峭壁如刀削斧劈，岸上黑松遍植，湾畔曲径纵横，或伸向海滩，或穿行黑松林中。德国占领青岛之初，其总督常骑马到此狩猎，下海游泳，后辟为海水浴场。中国政府收回青岛后定名为“第二海水浴场”，因地处太平湾，又称“太平角海水浴场”。

该浴场坡缓、沙软、浪小、水净，岸滩面积大，浴场西部海滩多鹅卵石，千姿百态，吸引众多游人前来采拾。

青岛石老人海水浴场位于石老人国家旅游度假区内崂山区海口路（滨海步行道）南侧，靠近青岛啤酒城乐园，乃前海风景旅游区与崂山风景名胜区之间的连接点，东西长2 100米，宽200米，为青岛目前最大的海水浴场。

64. 鼓浪屿

——海上花园

鼓浪屿与厦门仅隔不足1千米宽的厦鼓海峡，轮渡往返，十分方便。常住居民2.3万多人。在小岛的西南海边，有两块相叠岩石，长年累月受海水侵蚀，中间形成一个竖洞，每逢涨潮时波涛撞击着岩石，发出如击鼓般的涛声，称为“鼓浪石”，鼓浪屿因此得名。岛上空气清新，树木繁茂，一年四季鲜花竞开，故有“海上花园”之称。

鼓浪屿常年无落雪，四季有鲜花。岛上树木葱郁，繁花似锦，亭台楼阁，掩映错落。一幢幢优雅别致的楼房，沿着蜿蜒曲折的柏油路迤逦上升。在房前屋后和阳台、屋顶乃至墙头上，人们种上玫瑰花、兰花、菊花、仙人球等各种艳丽芳香的鲜花，景色十分宜人。岛上还随处可见翠绿的芭蕉、挺拔的古榕树、艳丽的凤凰树、清秀的绿竹，以及那成片簇拥的花圃花坛，令人目不暇接，流连忘返。

日光岩位于岛的中央，是鼓浪屿的最高峰（海拔92.7米）。从山脚沿石梯登临而上，沿途有日光岩寺、莲花庵、古避暑洞、郑成功水操台遗址以及历代名人的多处题刻。岩顶筑有圆台，站立其间，凭栏远眺，厦鼓风光尽收眼底。

浩月园位于鼓浪屿的东南隅，全园占地面积约为2万平方米，为纪念民族英雄郑成功收复台湾而建。园内景点包括郑成功青铜群雕、郑成功巨型石雕像、郑成功微雕展览馆、郑成功碑廊、皇帝殿、激光舞台、孔雀园、皓月休闲度假俱乐部等。其中郑成功青铜群雕是以青铜铸成的大型群雕，为目前国内历史人物青铜群雕中罕见的一组；郑成功巨型石雕像，高15.7米，重1 400吨，用625块花岗岩组成，整座雕像拔地凌空，气宇轩昂，已成为厦门的重要标志和象征物。

鼓浪屿素有“音乐之乡”、“钢琴之岛”的美誉。岛上居民上世纪五六十年代就拥有500多架钢琴，许多闻名中外的音乐家在这里诞生和成长。鼓浪屿的轮渡码头，外形就像一架打开琴盖的钢琴，使人们一踏上码头，就感受到了这里独有的情韵。

65. 东寨港

——海底森林

东寨港红树林位于海南省海口市东南的东寨港红树林保护区，占地4 000公顷。该区于1980年2月划为国家级自然保护区，是知名度极高的风景胜地。这里的红树林生长在海水之中，树冠硕大，树干形态奇特，划小船进入红树林曲折的“走廊”，犹如进入幻境。

东寨港红树林是奇特的植物景观。在沿海的泥湾中，生长着许多红树植物，涨潮时，除了高大树木的树冠露出水面外，大部分被海水所淹没，因此这些红树林被人们称为“海底森林”。

红树是植物世界中仅有的以胎生方式繁衍生息的植物。它们的种子成熟后在母体上发芽，长成小苗后，才脱离母体。由于茎和根较重，幼树便垂直下落，插入泥中，只要二三个小时，就可以生根成长。如果落在海水里，它可以随波逐流，4个月后也不死，遇到有淤泥的地方还会扎根成长。红树林

是热带亚热带海滨泥滩上特有的植物群落，是一种多功能、多效益的特种植物资源，品种奇特。

红树还有一个特点：根系十分发达，纵横交错，具有特殊的呼吸根和吸收过多盐分的特殊腺，它的根、叶可以滤去使植物死亡的咸水，所以即使长年累月浸泡在海水里，它也能吸收足够的氧气和二氧化碳，顽强生长，因而是唯一能生长于热带地区沿海滩泥和海水中的绿灌木。红树的脱盐特性，也使它有“植物海水淡化器”之称。

红树是一种宝贵的自然资源，世界上有红树林的国家都把红树区列为生态保护区。东寨港红树林有15个科，29个品种，占国内红树种类的60%以上，主要有红海榄、木榄、尖瓣海莲、角果木、秋茄、白榄、海漆、海骨根、桐花树、老鼠勒、水柳、王蕊、海芒果等，最近发现的海桑更是中国最珍贵的植物稀有品种。

红树林、阳光、海水、海滩、海鲜产品及明代古迹——海底村庄，构成了该区的奇特景观。自辟为旅游区后，前来参观、考察、观光的游客络绎不绝。

66. 三亚

——太阳的故乡

美丽的三亚湾，犹如镶嵌在南海海面上的一颗璀璨明珠：它是中国首批优秀旅游城市和我国最南端的热带海滨旅游城市；它集阳光、海水、沙滩、气候、森林、热带田园风光和名胜古迹于一地，是全国生态示范区。主要观光点和度假地有南山文化旅游区、亚龙湾、天涯海角、大东海、鹿回头、蜈支洲岛、三亚热带海洋动物园、西岛等。三亚海滨以石美、海美、沙美而蜚声海内外，吸引着八方游客。

这里首先是石美。海边巨石磊磊，星罗棋布，由于多年海水冲刷，表面溜圆而无孔，光滑湿润，就像是一块块巨大的鹅卵石。在这一片"石林"中最引人注目的是一块刻有"天涯"两字的横卧巨石，它周长60米，高10米，方中见圆，圆中见方，远看如丘，近看如峰。这是清雍正年间崖州州守程哲的题刻，背面是郭沫若先生的题字"天涯海角游览区"。另一巨石上则镌刻"海角"两字，是清末文人所题。距"天涯"约300米，又有一块7米高的"南天一柱"石，呈圆锥形，拔海而起，颇有气势，传说它是共工怒触不周山时折断的一截天柱，移到这里支撑南天。这些花岗岩巨石由于球形风化和海浪冲蚀，形成嶙峋奇特的形状，其间又有曲径可通行。它们背倚椰林葱郁的青山，面向烟波浩淼的大海，形成绚丽壮观的山海胜景。

其次是海美。这里湾阔，沙白，水清，波平。沙滩平展，没有一块礁石，见不到一点水洼，海水到这里似乎像奔腾的骏马卧沙休息。沙滩向大海敞开胸怀，大海似蓝色的绸绫覆盖沙滩，风抚海浪，浪拍细沙。特别是艳阳高

照时，海水竟似湖光，蓝极绿极，凝成一片，偶有微风吹过，也不过是把层层细波从大海深处轻轻推到岸边。海的尽头海天一色，蓝天仅比蔚蓝色海水略淡一些，朵朵白云就像镶嵌在天幕上的花边。夜晚天色深蓝，星星如宝石缀于天幕，月影倒映海中，微风过处，月光闪闪颤动，好像被海水融化了。

再次是沙美。这里波平浪静，水无污染，海底平坦而无石。浅水、明沙，在沙滩上跑动，如踩在波斯地毯上那样舒适。沙滩细软平缓，沙粒细腻，微烫而又熨贴地使脚心又麻又痒，细沙从脚丫中涌出，有着童真的惬意。

天涯海角呈现出多层次的美，晨凉，午热，夕暖，夜寒，与之伴随的是看日出，浴海水，看月色，观海潮，令人陶醉，使人流连，无愧于“不是夏威夷，胜似夏威夷”的称号。

67. 攀牙湾

——泰国"小桂林"

攀牙湾(PHANG—NGA),位于泰国南部大陆的世外桃源——普吉岛东北角75千米处,是一个由数以百计的石灰岩地貌组成的海湾,是普吉岛及周边地区风景最为美丽的地方。湾内散布着许多大小岛屿,怪石嶙峋,景色万千,实属世界奇景。

从普吉岛前往攀牙湾的旅途沿岸,有佛庙(SUWANAKHULA CAVE)和隐士洞(THUM RUESI)两个石灰岩。佛庙洞洞内面积宽广,有各式千奇百怪的石笋和耀眼的白色钟乳石,有的入口处还有一支弯曲细长的石笋。青绿色的钟乳石从穴顶垂泻下来,就像一帘帘冰冻的瀑布,泰国有许多电影都在这里拍摄外景。这里也是詹姆斯·邦德的电影《带金枪的人》所使用过的场景之一。还有些石灰岩崖壁上覆盖着许多原始图画,上面绘有朴拙的人物、动物和鱼类,散发出原始的美感。隐士洞则规模更大,由数十座山峰在底部联结而成,洞内流水潺潺,既神秘又壮观。

如果你驾船驶过静静的青绿色的海面,经过两岸茂盛的红树林后,眼前则豁然开朗。在一望无际的海面上,形状怪异的岛屿打破了海天一色的平衡,为平静注入了一股鲜活的灵气,呈淡绿色的海湾水面上,波光粼粼,岩石嶙峋,景象万千,这便是攀牙湾。

近百座大小岛屿,散布在风平浪静的海面上,宛如蓬莱仙岛,又仿佛一幅幅立体的中国水墨画。各种石灰岩的奇峰怪石星罗棋布,或如羊角,或如驼峰,或如锯齿,各具美态。因此,攀牙湾又被称为泰国的"小桂林"。其中,詹姆

士·邦德岛（JAMES BOND）、铁钉岛（KO TAPU 又名塔布山）、岛石洞更以其天然奇景而名噪海外。

攀牙湾山峰耸峙，海景如画，风光雄浑壮丽。屏干岛（KO PINGKAN）由两面山峰倾斜地相叠在一起，呈倒 V 字形，山壁如削，平滑如镜。人在石壁下仰首翘望，俨然一线天。塔布山，形状像铁钉一样插在海底，高约 30 多米，由于受海水的侵蚀，山峰上阔下窄，头大脚细，傲然兀立于壮阔的海面上，直指云天，气势昂扬。

乘上修长的独木舟，划着桨慢慢前进，穿过黑暗的水道，寻找深藏的岩洞，你会感受到一种前所未有的探险兴奋。高高昂起的船头扎着鲜花或者彩带劈波而行，像是在浪尖上舞蹈。沿途看那水中形态各异的小山和神奇的红树林，仿佛人在画中游。而每每让人惊奇的是洞中有洞，“山穷水复疑无路”、“柳暗花明又一村”，外观平实的海岛却有着秀丽的内质。

泛舟穿行于岩石狭窄的缝隙中，观赏突起于平静水面上的独块巨岩、生机勃勃的红树林等构成的一幅幅天然风景画，深入画幅中的深幽处，游览攀牙湾天然奇景，无疑是不堪物欲羁绊的人们最潇洒的选择。

68. 马尔代夫

——梦境中的风景

马尔代夫位于斯里兰卡南方 650 千米的海域，由北向南经过赤道，是一条长长的礁岛群地带。1 000 多个岛屿都是由于古代海底火山爆发而成，有的中央突起成为沙丘，有的中央下陷成为环状珊瑚礁圈。马尔代夫的海景无与伦比，号称“梦境中的风景”，另外这里也是潜水和垂钓爱好者的天堂。

若搭乘小飞机遨翔于马列南、北环礁，从空中俯瞰马尔代夫，会发现无际的海面上，星罗棋布着一个个如花环般的小岛，犹如天际抖落而下的一块块翠玉。小岛中央是绿色，四周是白色，而近岛的海水是浅蓝、水蓝、深邃的蓝色，逐渐加深。印度洋犹如一面蓝色的天鹅绒布，在这块绒布上，则缀饰着一串串的翡翠、绿宝石。

马尔代夫是全球三大潜水圣地之一。游客通常要坐“多尼船”入海进行船潜，这种船从船体、帆桁、钉、缆绳到帆都取材自椰子树，承载着当地原居民与大海相处 2 000 年的历史。如果不能深潜，游客也可以享受一下浮潜，租一副潜水镜、救生衣和脚蹼，就可以跃入清澈的海中与鱼儿共舞。即便真的没法潜水，也可以涉水看鱼。一般的珊瑚礁岛屿，岸边 20 米以内的海水都不深，

有的地方30米外便有如悬崖般的落差，但这里也是鱼儿最多的地方。在早晨阳光的照射下，海底世界美得如梦如幻。

马尔代夫还是钓友的乐土，因为当地政府规定海岸边2千米内不得捕鱼，渔夫也只能用钓钩钓鱼而禁用鱼网。马尔代夫盛产大石斑鱼，连生手也能随钓随上。适合的钓鱼时段有清晨、黄昏以及夜间，其中黄昏海钓别有一番乐趣，由度假岛搭乘多尼船驶向珊瑚礁，定锚后抛线而下，不一会儿就会有鱼儿上钩。

马尔代夫所特有的巡游岛屿活动是搭乘多尼船出发，游览不同风格的岛屿，有的现代化、有的颇具原始风味，徒步半小时即可逛完，所以形成一岛一景的有趣现象。用心寻访马尔代夫的游客也可以拜访当地土著村落，岛上尽是一幢幢灰白相间的石屋，穿梭在恬静的民房巷弄间，与悠闲自得的岛民打招呼，再搭乘多尼船到椰林片片的无人岛浮潜，在白色的沙滩上享受各色鲜美烧烤，那真是美如天仙的享受。

69. 塞班岛

——潜水圣地

塞班岛是北马里亚纳群岛的首府，位于东经 145 度、北纬 15 度的太平洋中部，菲律宾海与太平洋之间，西南面临菲律宾海，东北面临太平洋。北马里亚纳群岛共有 14 个岛屿，加上关岛，这 15 个岛屿总称马里亚纳群岛。塞班、天宁是最南边的岛屿，也是观光游客最常前往的岛屿。

塞班岛是近几年开发的世界著名的旅游休养胜地。由于邻近赤道，塞班有着蔚蓝如洗的晴空、翡翠般湛蓝的海水及细白的沙滩，是西太平洋的度假胜地，故有“身在塞班犹如置身天堂”之说。这里碧蓝的海水、细腻的沙滩以及丰富多彩的潜水运动最能打动游客的心。

塞班岛周围有许多起伏不平的珊瑚礁，加上阳光的折射，使海水呈现淡绿、碧绿、深蓝等不同颜色，那深不可测的墨蓝，就是世界上最深的海沟——1 万多米的马里亚纳海沟。从岛的中央到东海岸都是山岳，许多地方尚未被开

发出来，游客们可以租借越野吉普车，进行探险之游。

度假塞班，最精彩部分当然是在水上和沙滩。岛屿的四周为大片完整而美丽的珊瑚礁所环绕，热带鱼不仅品种全，数量也多。

俯身清澈见底的水面，斑斓的水世界尽收眼底。

塞班的沙滩细腻而绵柔，一点儿也不硌脚。傍晚时分，晚霞与落日相约而至，情侣们手手相携浸浴在橙红色的光线中漫步海滩，那画面谁看了都会心醉。望着天尽头那轮缓缓坠下的落日，让人有种从未有过的悸动与亲近感。海面被染成一片霞红，泛着迷人的光泽，仿佛为游人铺就了一条可以直接步向太阳的金色之路。

在许多临海而建的度假酒店的沙滩边，有各类水上运动和游乐中心，不仅能为游客安排各种新奇刺激的水上运动，甚至还可以参加短期潜水培训，体验潜水乐趣。塞班岛的潜水活动非常著名，在全球潜水人心中，塞班的潜点一向以其极富变化的水下地貌和绝对高能见度的水质而著名，再加上缤纷万千的热带鱼类，更使得这片迷人的海域魅力难挡。沿着塞班岛转上一圈你会发现，这里可以称得上世界级的潜点至少有十多处，即便是乘船到最远的潜点，也在 30 分钟的船程内。岛东北部的蓝洞是一定要去的，它曾被《潜水人》杂志评为全球第二驰名洞穴潜点。这是一个天然的海蚀洞穴，潜水者要由洞顶沿悬崖下 100 多级台阶至潭口，入水后经由两条洞穴水道潜行至外海。这个光线变化诡异的潜点绝对是全球潜水人梦寐以求的圣殿。在这里，你不仅可以看见身形硕大的海龟和身姿优雅的蝠鲼，幸运时还能和长尾鲨共“秀”水下人鲨舞，非常刺激。

70. 威尼斯

——水上都市

威尼斯素有“亚得里亚海明珠”之称，位于意大利东北部亚得里亚海滨的威纳托省，四周环海。从地图上看，威尼斯仿佛一颗镶嵌在美妙长靴靴腰上的水晶，在亚得里亚海的波涛中熠熠生辉。

威尼斯外形像海豚，城市面积不到7.8平方千米，却由118个小岛组成，177条运河蛛网一样密布其间，以舟相通。这些小岛和运河由大约350座桥相连，整个城市只靠一条长堤与意大利大陆半岛连接，有“水上都市”之称。威尼斯的小船——贡多拉、纵横交错的桥梁和沿河古迹是游客们一定要留意观赏的。

“贡多拉”是威尼斯的一大特色，据说制作严格而又讲究。它长11米，宽近1米半，以栎木为材料，用黑漆涂抹7遍始成。贡多拉加船夫共能坐7人。游客乘坐这种小船就可以领略威尼斯水城大街小巷的特殊风光。不过威尼斯有些水道比北京的小胡同还要狭窄，两条船不能交会，只能单行。街道两旁都是古老的房屋，底层大多为居民的船库。

连接街道两岸的是各种各样的石桥或木桥。它们高高地横跨街心，一点也不妨碍行船。威尼斯的桥梁和水街纵横交错，四面贯通，人们以舟代车，以桥代路，陆地、水面、熙攘的游人、齐飞的鸽子与海鸥，形成了这个世界

著名水城的一种特有的生活情趣。

在威尼斯的众多桥梁中，以火车站通往市中心的利亚托桥最为有名，它全部用白色大理石筑成，是威尼斯的象征。大桥长 48 米，宽 22 米，离水面 7 米高，桥两头用 12 000 根插入水中的木桩支撑，桥上中部建有厅阁，横跨在大运河上，大大小小的船只从太阳型的桥洞中穿梭。

叹息桥是威尼斯的必访景点之一。叹息桥是一座拱廊桥，架设在总督宫和监狱之间的小河上，享有盛誉。它建于 1600 年，因死囚被押赴刑场经过这里时，常常会发出叹息声而得名。又据说恋人们在桥下接吻就可以天长地久。

威尼斯城内古迹甚多，都隔河相望，十分别致。威尼斯的房屋建筑风格各异，房屋的门窗、走廊上雕刻着精美的图案和花纹。每年都有成千上万的游客来到这里，来感受它的美丽、温馨和浪漫。

威尼斯有毁于火中又重生的凤凰歌剧院，哥特式和拜占庭式建筑，世界上最美的广场之一——圣马可广场；有美得令人窒息的回廊；这儿是文艺复兴时期的一个重镇，产生过历史上最重要的画派之一：威尼斯画派；德国音乐大师理查德·瓦格纳在这里与世长辞……这个城市昔日的光荣与梦想通过保存得异常完好的建筑延续到今天，令凡是来过威尼斯的游客都恋恋不舍，乐而忘返。

71. 夏威夷
——太平洋明珠

夏威夷是太平洋上的一颗明珠。它东距美国旧金山 3 846 千米，西距日本东京 6 200 千米，是太平洋地区海空运输的枢纽。夏威夷群岛是由 124 个小岛和 8 个大岛组成的新月形岛链，弯弯地镶嵌在太平洋中部水域，所以有“太平洋十字路口”和“美国通往亚太的门户”之称。

夏威夷凭借它得天独厚的美丽环境，以及夏威夷人传统的热情、友善、诚挚，吸引着无数的观光游客。

夏威夷风光明媚，海滩迷人，日月星云变幻出五彩风光：晴空下，美丽的威基基海滩，阳伞如花；晚霞中，岸边蕉林椰树为情侣们轻吟低唱；月光下，波利尼西亚人在草席上载歌载舞。夏威夷的花之音、海之韵，为游客们奏出一支优美的浪漫曲。

威基基黄金海岸线是夏威夷州的象征，也是夏威夷群岛无数海滩中最著名的海滩，同时也是夏威夷游客量最大的海滩。阳光下一望无际碧蓝纯净的大海，金色细腻的沙滩，沿着海边种植的一排排茂密的棕榈树，和谐自然地构成一幅幅梦幻般的人间美景。这里的海水清澈无比，水温适度，是喜爱水上运动如游泳冲浪者的天堂。而在柔软细腻的沙滩上则躺满了来自世界各地不同肤色的老老少少的人们，他们在悠悠蓝天下尽情地享受着充足的日光浴。游客在海滩上还可以欣赏到东北的钻石山(DIAMOND HEAD)，它是一座火山，据说第一个发现夏威夷群岛的英国人库克船长，在夜晚看到整

个山头冒出蓝光，如同蓝宝石一样闪闪发光，就把此山称作钻石山。钻石山的形状也如同一个切割好的钻石，它是欧胡岛的一个明显标志，整个海滩绵延长达4千米，全部对公众开放。

夏威夷人纯朴好客，每当观光轮船接近夏威夷外海时，便有一大群热情如火的夏威夷女郎，驾着小舟靠近轮船，把一串串五颜六色的花环送给游客，并且高喊着欢迎口号“阿罗哈”，充分表达她们最真挚的欢迎。“阿罗哈”是土语，一般解释为欢迎、你好等等，表示友好和祝福的意思，每个来到夏威夷的人都会学会这句话。“阿罗哈”还表示“我爱你”。花环叫“蕾伊”，夏威夷人总是手拿花环，熟人相见，欢迎或欢送客人，都要送花环，就好像我们见面握手一样。所以在夏威夷，你常常看见有人颈上戴着一二十个花环。

草裙舞是最让观光者念念不忘的。草裙舞又名“呼拉舞”，是一种注重手脚和腰部动作的舞蹈。在月光如水之夜，在凉风习习的椰林中，身穿夏威夷衫的青年，抱着吉他，弹着优美的乐曲，用低沉的歌声，倾诉心中的恋情。跳舞的女郎，挂着花环，穿着金色的草裙，配合音乐旋律和节奏，舞出优美的姿态。纯洁的感情，融洽的气氛，如画的情调，令人陶醉得流连忘返。

肆 瀑布

72. 长白山瀑布

——银河落下千堆雪

长白山瀑布位于长白山天池西北侧，飞流直泻，形成了高达68米的瀑布。因系长白名胜佳景，故名长白瀑布。

长白山山高坡陡，下山水势湍急，一眼望去，瀑布像一架斜立的天梯。瀑布口有一巨石名曰“牛郎渡”，将瀑布分成两股。两条玉龙从天而降，雷霆万钧，猛烈地扑向突起的石滩，冲向深深的谷地，溅起几丈高的飞浪，犹如天女散花。水气弥漫如雾，仿佛“银河落下千堆雪，瀑布分流万缕烟”，其景象蔚为壮观。

夏日万里晴空，可在“望瀑坡”遥看瀑布，远望此瀑似锦缎从天而落，袅袅娜娜，飘逸曼妙，景色壮观。临近瀑布，则是另一番景象，瀑布激起的层层浪花，在阳光的照射下，发生折射和反射，水气弥漫，横空现出彩虹，绚丽夺目，似霓虹霞雾，珠垂玉坠，令人叹为观止。来到瀑布旁边，可以听到瀑布的

巨大吼声，好似千马齐鸣，万雷争吼，飞瀑溅起的层层水雾，犹如两军搏杀中扬起的阵阵烟尘。穿过缭绕的云雾，但见浪花翻滚，飞浪回溅，细雾蒙蒙，似雨雪交加，站立瀑边，白云从身边绕过，仿佛置身于云天之外了。

冬天，瀑布凝结成冰山，成为水晶的世界，一派北国风光。远远望去，山是雪山，树是雪树，就连风也是夹着雪的，简直就是雪的世界！可是长白瀑布却不惧怕严寒，更不怕风雪，它傲然从悬崖上凌空而下，飞起万千水滴，瞬间变成冰粒，众多冰粒组成一簇簇冰花，这冰花纵横喷射，就像银光闪烁的焰火！

长白瀑布从天而降，汇成了两道白河，它是松花江的源头。两道白河曲径通幽，傍森林和绝壁蛇行而下，沿途有数不尽的风光。

沿长白瀑布的水流下行，经过温泉，钻入灌木丛林，便可听到激流拍岸的声音，这声音是从岩石峡谷中传来的，这就是松花江源流白河一奇——“白涧传石”。白涧传石，弯曲如蛇，两壁似刀斧劈成的一般，陡峭而光滑，谷深而口窄。深谷几乎不见阳光，谷壁的颜色呈黑色，与白浪翻滚的激流形成鲜明的对比。河水好似一条银龙在深谷中奔腾，喷云吐雾，拼命要冲出岩石的包围，留下堆堆浪花和阵阵轰鸣声。

73. 大龙湫瀑布

——雁荡一绝

雁荡山，以山水奇秀闻名，素有“海上名山”、“寰中绝胜”之誉，史称“东南第一山”。因山顶有湖，芦苇茂密，结草为荡，南归秋雁多宿于此，故名雁荡。

自古以来，人们赞叹雁荡山之美在于瀑布，故素有“万条流泉千条瀑”之称，它与黄山奇石、庐山云雾齐名，为我国名山风景中的“三绝”。

大龙湫瀑布为浙江省雁荡山胜景。所谓龙湫，是指从百丈悬崖泻下的一线飞瀑。它与贵州黄果树瀑布、黄河壶口瀑布、黑龙江吊水楼瀑布并称中国四大瀑布，而大龙湫独以其落差190余米取胜，有“天下第一瀑”之誉。蔡元培先生曾题诗云：“天下飞瀑十有九，最好唯有大龙湫。”至今在当地还有“不游大龙湫，不算到雁荡”的说法，这充分说明了大龙湫在雁荡山景区中的重要地位。

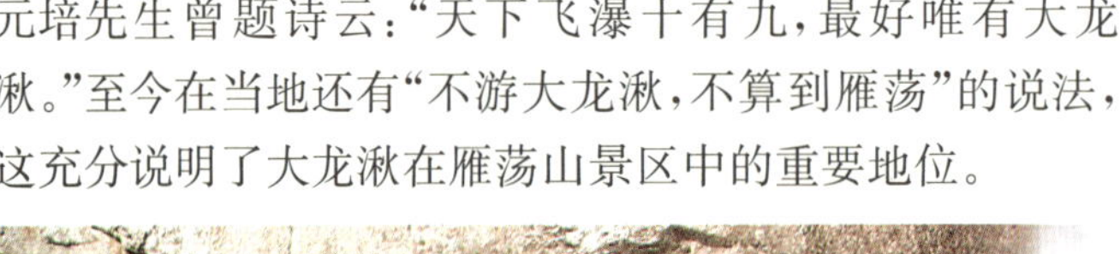

瀑流发源于百岗尖，流经龙湫背，从连云峰凌空泻下，像从银河倒泻下来，十分壮观。大龙湫的最奇绝之处，在于因季节、晴雨等变化呈现出多姿多彩的迷人景象。在阳春三月，雨水稀少，瀑布如珠帘下垂，不到几丈，就化为烟云。盛夏季节，雷雨初过，大龙湫像一条发怒的银龙，从半空中猛扑下来，声如雷鸣，震天撼地，气势雄壮。在晴朗的冬日，瀑流从半空中飘洒而下，阳光照射时，瀑布呈现出色彩绚丽的五色长虹的奇观，景色格外迷人。大龙湫瀑布真是千变万化，不可捉摸。

瀑布下面是一个深潭，碧绿而幽蓝。潭很大，时常有几只竹筏载着游人泛舟其上，怡享水趣。抬头仰望，只见散雨纷飞，匹练横空，烟雾迷蒙。因为阳光与风的原因，泻下的水帘、雨珠和雾气，晶莹透亮，飘扬飞洒，幻化出千种风情：飘逸中裹着厚重，滂沱里撒着轻盈，空灵里透着虚幻。沐浴沉醉于其间，能体验到天地之间的山水相融，感应到人与自然的神交契合。

如果说大龙湫是“采天地之灵气”，那么小龙湫则是“集日月之精华”。前者多显灵动，后者更具神韵。徐霞客曾言：“两峰南凹，轰然下泻者，小龙湫也。”抬眼望去，只见悬崖高约60余米，一条水线从上面凌空飘洒。走到飞瀑下面，丝丝水珠落到游人的脸上，一股凉意直入心底。水珠洒落在下面的深潭里，啪啪有声，宛如珠玑落玉盘。最妙的是风过崖间，水线因风作态，像散玉，若飞珠，似云雾，飞飞扬扬，变幻无穷。观其形，令人遐想；听其音，令人神往；品其韵，令人心醉。

74. 庐山瀑布

——疑是银河落九天

江西庐山是我国的一座名山。庐山瀑布更是气势宏伟、景色壮观。早在1200多年前，唐代著名诗人李白便道出庐山瀑布的壮美："日照香炉生紫烟，遥看瀑布挂前川。飞流直下三千尺，疑是银河落九天。"

庐山有许多急流与瀑布，湖潭14处，溪涧18条，瀑布22处。而其中的三叠泉瀑布被世人称为庐山瀑布之首，号称"庐山第一奇观"。它位于庐山东南，泉水由五老峰北崖中流出，落差达215米，分三级跌下，被崖石所阻，分成三折，每折各具特色。有人曾这样描绘三叠泉各级的特色："上级如飘云拖练；中级如碎玉催冰；下级如玉龙走潭、散珠喷雪又似仙女飘带。"瀑布与仅隔百米的绝壁悬崖相呼应，气势磅礴，蔚为壮观，真是天下绝景。人们素有"不到三叠泉，不算庐山客"之说。

游客身处三叠泉瀑布犹如置身仙境，举目观望，四面峭壁，十分雄伟壮观——瀑布从南侧云雾中飞速而下，溅起3米多高的水花，像天上嫦娥的绢绢丝带，温柔中带有几分刚毅；突出的岩石，把从天而降的泉水像布一样从中间分为三道水帘。第一道，泉水如云朵一般，喷薄而出，忽隐忽现，水流撞击岩石，回旋翻腾，犹如珠玉迸碎。泉水落到第二道石嶂上，汇成浩浩荡荡

的巨流从悬崖上飞泻而下，飘洒的飞瀑如白雪一般，瀑布四周水雾笼罩，半途离开巨流的水珠却如冕饰前的垂玉。泉水落到第三道岩石上，水流更急，瀑面增宽，像一道银白色的帘子，直垂向下面不可见底的龙潭中。立在池边，水雾扑面，十分清爽，使人心情也变得更加畅快。游客可以在这里细细品味飞瀑，看水击石面，分散聚合，翻滚飞舞，不断形成千奇百怪的形态：水面时而聚合成一头雄狮，时而又激起一条巨蟒，不一会又见两股巨流相撞，然后分开，形成一只矫健的雄鹰。但这一切来得突然，去得迅速，真像神秘莫测的神话传说。

75. 流沙瀑布

——最细腻的瀑布

流沙瀑布位于湘西，为九龙溪源头。从德夯镇出发，沿村寨小路大约步行 30 分钟山路便能到达。一路上且行且停，在一个拐弯处，便能远远看到一块绝壁，绝壁上挂着一幅清纱，如烟似雾，随风飘拂，像仙人的白胡须——这就是有名的流沙瀑布了。瀑布如白练凌空，似银纱悬壁，落差达 216 米。

流沙瀑布从绝壁之上腾空而下，极高的落差，使无数凌厉细碎的石片被研磨成细小的颗粒，在失重的坠落中，失去了粘连和牵挂，如流沙般散落，落入一汪清潭，潭水是油汪汪的碧绿，如同一块美玉。

瀑布柔柔地挂在刚硬的岩壁上，如岚、如雾。瀑布中的那些水花，又像一朵一朵的白烟往下落，仿佛在放着烟花。瀑布从岩石上冲下来，分为几绺，仿佛是几匹纱皱着，晾在那里。它薄薄的，如蝉翼般，若有若无。透过这层薄薄的"轻纱"，人们可以很清楚地看见后面的岩壁。瀑布落到悬崖底下的那些矶石上，又形成了许许多多的小瀑布流向潭里去。而这一泓宽宽的水潭，也温柔得像一位恬静的少女，令人心醉神怡。

流沙瀑布水量最大是在 8 月份，滚滚流水从悬崖上飞落入深潭，犹如九龙翻波，吞云吐雾，声若巨

雷，震撼山谷，气势磅礴！但大部分时间，瀑布从绝壁之上腾空而下，极高的落差，使水流到了下面就散落成流沙状，时而如轻纱拂面，时而似珠帘悬挂，宛如白纱荡涤绿潭，漾起层层涟漪，婀娜多姿，温柔秀美。

游人可以沿着两边山路，从瀑布下走过，淡淡的水雾纷纷扬扬地飘洒下来，让人感觉如进入水帘洞一般，有丝丝细雨，沁人心脾。如细沙般的水珠随风吹在脸上、手上，令游人畅快极了！

从正面仰望瀑布，好像瀑布是从云端飞流直下。游客可以沿潭畔走到瀑布里去，从瀑布背后观赏。由于峡谷变幻莫测，当阳光照射时，瀑布上空便常常生出七彩长虹。

76. 十分瀑布

——台湾尼加拉瀑布

十分瀑布位于台北县平溪乡南山村，地处基隆河上游瀑布群，落差高度约20米，宽度约40米，它以磅礴的气势，成为台湾最大的帘幕式瀑布。此外，因岩层的走向与水流相反，它又属于逆斜层瀑布，与北美的尼加拉瀑布相似，使其赢得“台湾尼加拉瀑布”的美誉。

去过十分瀑布的人，莫不赞叹，就像误闯仙境，如真似幻。倾泻而下的瀑布，如千军万马奔腾，坠入一大片宽广深潭，弥漫的水气经阳光折射，呈现出晴空霓虹璀璨夺目的景象，是颇受欢迎的观光点。十分瀑布下游巨石林立，这是由于崖面长年受流水冲刷侵蚀

而不断崩毁、后退所形成的奇异景观，大自然造化之美在此展露无遗。

眼镜洞位于十分瀑布的附近，为基隆河上游的源头，是一处天然的奇景。在溪边的峭崖下，有两个深黑的大岩洞，清澈的山泉自崖顶滑落，经过岩洞，宛如一副大眼镜，因此得名为眼镜洞。游人可躲过瀑水进入岩洞内观赏洞外天地，故又名水帘洞。

77. 壶口瀑布

——千里黄河一壶收

黄河壶口瀑布是世界上第一条黄色大瀑布，位于山西省吉县和陕西省宜川县交界的晋陕大峡谷中，但瀑布大部分却悬泻于吉县一侧。

黄河壶口瀑布古已闻名，《水经注》载："禹治水，壶口始。"明代有位诗人写《壶口》一诗赞道："源出昆仑衍大流，玉关九转一壶收。双藤虬浅直冲斗，三鼓鲸鳞敢负舟。"明陈维藩在《壶口秋风》诗中描写道："秋风卷起千层浪，晚日迎来万丈红。"黄河西出昆仑，源远流长。雄伟多姿的龙门，世称"九河之蹬"的孟门山（位于龙门与壶口之间）与四时迷雾的壶口瀑布最为壮观，号称黄河三绝。壶口瀑布更以它气吞山河之势、声绝九霄之壮著称于世。

看彩虹是游壶口一乐。水滴排空，阳光射入，经折射、反射、衍射，在瀑布上空展现出七彩巨虹，与瀑布交相辉映，是奇观中之奇观。在有阳光的日子里，上午 11 时左右，可在河西的陕西一侧觅见；下午则可在河东的山西一侧发现。如果走过黄河大桥数里，在孟门观其壶口景色，缤纷的彩虹，上接长空，下临壶口水帘，更加美丽异常，令人神往。

孟门山距离壶口约 2.5 千米，河水被巨石一分为二。此石横亘数百步，河水分流，俯视如门，故有孟门之称。孟门山虽"临危若坠"，但"卧镇狂流"，"任水涨滔天，终不能没"，实为壶口之下一大奇观。河水出孟门之后，以"奔腾到海不复回"的态势，直奔相距 65 千米处的龙门。

在壶口瀑布正中、黄水跌宕的地方，有一块油光闪亮的石头，在急流中上下浮动，这就是“龟石”。这块石头能随水位的涨落而起伏，不论水大水小，总是露着那么一点点。远远望去，两侧的黄水滚滚扑来，掀起重重浪花，犹如二龙戏珠。过去，来往的船只每逢行至壶口，都是人在河畔拉纤绕行，飞鸟也因瀑布呼啸震天、云烟弥漫，惊吓得不敢飞过。因此，当地从古至今就传承着一种奇特的航运习俗——“旱地行船”，而且一直流传着“飞鸟难渡关”的奇谈。

现已兴修的壶口瀑布公园，由公路可直达，并建有观瀑亭，是一个山峻水奇、林青花茂、别具一格的公园。风景区规划面积 175 平方千米，主景区面积 27 平方千米，是以壶口瀑布为主体的峡谷景区，北至小河口，南至仕望河口。夏秋季节，黄土高原暴雨频繁，黄河水势猛涨，瀑布宽达 100 多米，方圆数里，水气遮天，气势磅礴，是游览观赏瀑布的最好季节。冬季冰封雪冻，瀑布挂满冰凌，银装素裹，分外妖娆。春季冰雪解冻，冰凌崩落，犹如山崩地坼，声似炮轰雷鸣。

78. 云台山瀑布

——华夏第一高瀑

河南省焦作市的云台山是太行山的一条余脉，十几亿年前形成了丹霞地貌。几座海拔 800～1 300 多米的高山，在地壳运动的张力作用下被一掰两半，从而形成了深邃的裂谷。云台山是集瀑布之大成的一块风水宝地。这里的瀑布多而奇、大而高、壮而丽、小而美。瀑布是云台山的最大特点，它特就特在一个“独”字上。因为瀑布多见于雨量充沛的长江以南，而云台山处在易旱少雨的黄河以北，这在我国北方疆域内真是独一无二！

云台山瀑布坐落在云台山风景区老潭沟的尽端，沟长约 2.5 千米，沟内高峰耸立，气势恢宏，花木繁茂，泉壑争流。这里最为壮观的飞天瀑布有两处：一处是老潭沟上源的天瀑，号称“华夏第一高瀑”，一级落差竟有 314 米，是名副其实的百丈高瀑。一遇大雨，它便会从峰顶一落千丈，以恰似银河落九天的磅礴气势凌空而下。伴随着沉雷般的轰鸣，瀑下大雨滂沱，瀑上云雾升腾，瀑侧彩虹横空，云蒸霞蔚，好不壮丽！另一处位于温盘峪与子房湖（人工水库）的结合部，水是从坝下的放水洞中流出来的，一级落差 30 多米，因有湖水为源，所以水量充沛经年不息。这样不但造就了坝下汹涌澎湃的飞瀑，而且还为下游红石峡中的各级瀑布提供了水源，又相得益彰地造就了黄龙瀑布等一系列蔚为壮观的风景。这里虽是人工瀑布，但能让水势与山势巧妙结合，在瀑下根本看不出有

人工雕琢的痕迹。真是匠心独到，巧夺天工！

沿老潭沟水上行约3千米，就可到达天瀑。沟边小路沿地势而筑，游人排成一线缓缓而行。等到山路一转，蓦然回首，迢迢一瀑已惊现于山崖之上。这里已是山谷尽头，迎面岩壁直立而起，遮天蔽日，谷中昏然欲黑。瀑布上端如同朵朵白云，又如团团棉絮，悠悠飘落，连绵不绝；下端宛如飞花溅玉，纷纷扬扬，洒入墨绿色的水潭。急泻而下的瀑布落入水潭中，溅起1米多高的水花，又化成一团水雾，把瀑布笼罩在朦朦的雾中。若遇多水的季节气势更为磅礴，山洪暴发时，瀑布像脱缰之烈马，日夜奔腾，声震数里，近听如闷雷轰响，远听似古钟长鸣。瀑水并不宽，从岩顶直泻而下，绵绵漫漫，貌若云中仙子，轻纱雾绡，翩然而降；矫似万条白龙，争先恐后，下饮深潭。300多米高的激流击于石上，若惊雷炸响，令人色变。周围百米之内，水气排山倒海而来，湿人衣裤，寒人肌肤，吹人欲倒。

79. 黄果树瀑布

——中华第一瀑

黄果树瀑布风景区位于贵州省镇宁、关岭两县境内北盘江支流、打帮河上游的白水河和陵河上，素有“天下奇景”之称。

黄果树大瀑布落差 74 米，宽 81 米，是中国最大的瀑布，也是世界上最壮观的大瀑布之一。河水从断崖顶端凌空飞流而下，倾入崖下的犀牛潭中，发出震天巨响，十里之外即闻其声，如千人击鼓，万马奔腾，使游人惊心动魄。“一溪悬倒，万练飞空”，“盖余所见瀑布，高峻数倍者有之，而从无此阔而大者”，著名旅行家徐霞客就曾这样盛赞过黄果树瀑布。

大瀑布四季各有所观：春奔放，夏豪壮，秋婉约，冬娉婷。

黄果树瀑布还有大水、中水、小水之分，常年流量为每秒 20 立方米。流量不同，景观也不一。大水时，银浪滔天，势不可挡。瀑布激起的水珠，飞溅 100 多米高，如云雾缭绕，洒落在附近的黄果树街市，即使晴天也要撑伞而行，故有“银雨洒金街”的称誉。中水时瀑布明显分成四支，各具形态和个性，从左到右，第一支水势最小，又撒得开，秀美；第二支水势最大，上下一般粗，豪壮；第三支水势居二，上大下小，雄奇；第四支水势居三，上窄下宽，潇洒。其实中水时景观最佳，瀑布清晰，轮廓分明，在蓝天和彩虹的装扮下，犹如一幅美丽的图画。小水时，瀑布分成的四支，铺展在整个岩壁上，仍不失“阔而大”的气势。

黄果树瀑布不但以“雄伟、壮观”而名扬四海，也是世界上唯一能从洞内

向外观瀑、听瀑、摸瀑的瀑布。较之世界名瀑，最神奇之处是隐在大瀑布半腰上的水帘洞，水帘洞位于大瀑布 40 米至 47 米的高度上，全长 134 米，有 6 个窗洞、5 个洞厅、3 股洞泉和 6 个通道。观赏大瀑布本身就已令人惊心动魄，但如果不走进水帘洞就不会真正领略到黄果树瀑布的雄奇和壮观。

穿越水帘洞，还有一处绝妙奇景——从各个洞窗中观赏犀牛潭上的彩虹。这里的彩虹不仅是七彩俱全的而且是动态的，只要是晴天，从上午 9 时到下午 5 时，都能看到，并随你的走动而变化和移动。前人说，“天空之虹以苍天作衬，犀牛潭之虹以雪白之瀑布衬之”，故题“雪映川霞”。

在黄果树大瀑布的上游和下游，18 个雄奇险秀、风格各异的瀑布组成黄果树瀑布群，有落差高达 410 米的滴水滩瀑布，有瀑面宽 110 米的陡坡塘瀑布，有滩面长 350 米的螺丝滩瀑布以及形态秀美的银练坠瀑布等，是天然的“瀑布博物馆”。

80. 马岭河瀑布

——筛落的浪花

国家级风景名胜区马岭河峡谷，位于兴义城东北6千米。马岭河的源头在乌蒙山脉，流入黔、桂交界的南盘江一带，上游叫清水河，中游因连接有马别大寨和马岭寨而称之为马岭河。它的地貌结构与一般峡谷不同，实际上是一条地缝，被称为"地球美丽的伤痕"。

马岭河从河源至河口长约100千米的流程内，落差近千米，下切能力强，在海拔1 200米的坦荡平川上切割出长达74.8千米，谷宽50～150米，谷深120～280米的马岭河峡谷。

马岭河的瀑布飞泉有60余处，而壁挂崖一带仅2千米长的峡谷中，就分布着13条瀑布，形成一片壮观的瀑布群。其中最具特色的是珍珠瀑布，4条洁白而轻软的瀑布从200多米高的崖顶跌落下来，在层层叠叠的岩页上时隐时现，撞击出万千水珠，在阳光照耀下闪闪发光，似有人居高临下筛落满崖的浪花。

马岭河峡谷交织成群的瀑布气势磅礴，尖峭锥峰密集丛生，两岸峰林之中，还有古庙、古桥、古战场、古驿道等人文景观，充满了古野的情趣和神秘的色彩。根据不同的景观特点，景区自上而下分为车螂温泉、五彩长廊、天星画廊和赵家渡景观。

天星画廊 1.7 千米内有瀑布 20 余条，如珍珠瀑、间歇五叠瀑布等，瀑高都达 120～170 米，瀑宽 5～100 米，壮如银河缺口，柔似袅袅娜娜。在马岭河峡谷游览，你会感受到大自然的无限神奇。峡谷深幽，栈道攀崖而行，曲曲折折，引人入胜。沿道而行，如进画中，一步一景，步移景异，令人流连忘返。

81. 德天瀑布

——世界第二大跨国瀑布

在祖国边陲广西崇左市大新县，有一个奇特的旅游景区，这就是远近闻名的山水画廊——广西大新德天风景区。大自然竟然情有独钟，将山水神秀尽集于此地，形成了数百里的天然山水画廊。

德天瀑布位于大新县归春河上游，距中越边境53号碑约50米，主体瀑布宽100米，落差70米，与越南的板约瀑布连为一体，瀑布总宽208米，是东南亚最大的天然瀑布，也是世界第二大跨国瀑布。

在瀑布上游，河水时急时缓，时分时合，迂回曲折，于参天古木间，花草掩映，百鸟低徊。江水忽遇断崖，飞泻而下，恰似一巨大银练，高悬于峡谷之上。站在瀑布之下，水汽蒸腾，上接云汉，其滚滚洪流，折而复聚，飞泻而下，连冲三关。涛声回荡于山间，声若巨雷，数里可闻，仰望瀑顶，群峰若浮动，巨瀑如海倾，水沫飞溅，如万斛明珠。若遇晴日，彩虹横跨瀑布，为雄奇的瀑布增加了几分娇媚。其魄力，其气势，其风采，震人魂魄，动人心旌。

德天瀑布雄奇瑰丽，变幻多姿，碧水长流，永不歇息。无论春夏秋冬，阴晴雨雾，各具情态。瀑布景观随河水流量的多寡而变化，河水有季节性变

化，瀑布亦因而有四季景色。春天来临，崖草泛青，山花吐蕊，木棉花盛开，归春河两岸一片红霞。在红花万朵丛中，德天瀑布犹如一匹银色的白练，轻盈欢快地舞蹈着；盛夏时分，山洪始发，洪流滚滚，水声隆隆，如万马奔腾，鸣金击鼓，震撼山谷。此时，若解衣脱鞋，跃入水中游玩，看眼前之飞舞银龙，喷吐着水珠云雾在自己的头顶上，不仅可以消暑避炎，而且好像置身仙境之中，其乐无穷；金秋季节，素绢高挂，碧水清流渲染在丰收的景致之中，注满了欢欣喜悦；冬天，流水织秀，多股水流悠悠而下，让前来观赏的人们感到神清气和，心境高远……

82. 十丈洞瀑布群

——赤水名胜

赤水风景名胜区，坐落于贵州省西北部赤水市境内，与四川省南部相接，紧傍长江中游。赤水境内河溪纵横，泉点密布，形成了众多的飞瀑流泉、激流险滩。名胜区内优美的河段、湖泊组成千姿百态的水体景观，其中以瀑布最为著名，而众多瀑布中最突出的要数十丈洞大瀑布。

十丈洞大瀑布位于赤水市南部风溪河上游，离城30多千米，是赤水国家级风景名胜区的主体景点。风溪河上游，出没于深山峡谷，到沙田渡水量逐渐集中，形成较大的径流。至十丈洞时河面变宽，水势平缓，河床在这里出现一巨大断崖，如刀削斧劈，河水飞流直下，跌入深潭，形成瀑布。瀑布高72米，宽30米，涨水时可宽达60米。

瀑布从悬崖绝壁上倾泻而下，似万马奔腾，气势磅礴，数里之内声如雷鸣，数百米之外水雾迷蒙。偶尔还能看到奇妙的“佛光环”，水动环移，令人称奇。游人在前来观瀑的路上，还会看到引上游瀑布水发电形成的“两会水瀑布”，以及断崖形成的中洞瀑布。

十丈洞瀑布地处赤水河河谷地带，谷的两边层峦叠翠，群峰高耸，林木繁茂，为瀑布增添了一道绿色的背景。茫茫林海中，至今仍保持着原生性较强的生态环境。这里有近年被列为国家一级保护植物的桫椤，其树干高大挺拔，形如巨伞，状若华盖。现在瀑布旁边已修起几百级石阶通到谷底，沿途设石桌、石凳，使游客观瀑更为方便。

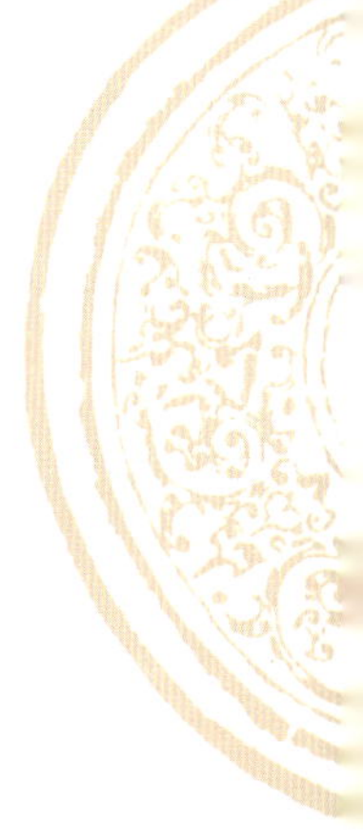

83. 银练坠瀑布

——最柔美的瀑布

银练坠瀑布位于贵州省苗族自治县的天星桥景区内，黄果树大瀑布下游7千米处。这里有一片长约1千米、宽约500米的袖珍型石林，部分在陆地，另一部分在水中。其中，“天星洞”和“银练坠瀑布”是石林景观的重要组成部分。银练坠瀑布是景区内形态最美的瀑布，水环圆石而下，宛如条条银练坠入深潭，绚丽无比。

银练坠瀑布所处的天星桥景区是一个岩溶地貌公园，这里有很多小山，而路大多是绕湖而过的。游人攀上一座石峰，会发现到对面的山峰去必然要过一座形状独特的桥，它是天然形成的石桥，中间插着的一块石头如流星碰巧坠落此处，天星桥正得名于此。过了天星桥，就到了天星洞，洞里特别令人叫绝的是一片石笋群，酷似传说中的八仙，边上又有一泓浅水，故称“八仙过海”。出洞之后，眼前是冒水潭，乱石丛由于高低不平，流水便有了瀑布的形态，众多小瀑布又形成壮丽的气势。下面就到了银练坠瀑布。

银练坠瀑布实际上是漏斗形瀑布，位于水上石林左上方。这里河床成扇形，上宽下窄，上高下低，落差20余米。由于长年累月的波浪冲击和流水侵蚀，河床形成无数小坑穴，流水漫顶而下，仿若滚珠落玉，阳光之下，闪闪发光，似无数银练坠入潭中，故取名为“银练坠瀑布”。

银练坠瀑布的几块巨岩犹如自然垂下的肩膀，让流水轻盈地漫过，缓缓

地汇聚在深潭里。岩石表面就像粗糙的皮肤，流水在上面形成了美丽的银色颗粒，其柔美风韵会让人的心一下子软掉几分。

与黄果树大瀑布的雄浑不同的是，银练坠瀑布则如罗裙曳地。至潭边越过并列交错的荷叶形岩石，会看到它纵情漫流，水花飞溅，形成千万条银练，若断若续，轻轻地坠入10米深潭，荡起层层微波。银练坠瀑布虽然无飞流直下三千尺的气势，但被誉为是“最柔美的瀑布”。

现在，天星桥石林已被纳入黄果树风景区统一管理，并在石林区域和天星洞内，修建了穿岩过洞、依山傍水的游览便道，它们或蜿蜒盘旋，或急转直下，或左右交会，或上下平行，曲径通幽，变化莫测，使石林之游更加引人入胜。

84. 九龙瀑

——天下第一奇瀑

黄山九龙瀑是世界文化和自然遗产——中国黄山的主要景观之一。九龙瀑全长600多米，落差360多米，位列黄山名瀑之首。天都、玉屏、炼丹诸峰之水汇合如一条弯曲的长龙，穿云破雾，从香炉峰蜿蜒而下，九处跌落，形成九曲九折，兼有飞练和彩潭之双胜，世间罕见。

国内外名瀑，各以其某方面的特色取胜，正如黄山以数奇兼备而被称为“天下第一奇山”一样，九龙瀑也以数奇兼备取胜，被称为“天下第一奇瀑”。九龙瀑有三奇：

一奇：九龙瀑又称九龙潭，一瀑九折，一折一瀑，一瀑一潭，瀑潭双胜。它由发源地流经云谷寺，至香炉峰与罗汉峰之间的垭口倾泻而下成瀑。九瀑盘旋飞挂，宛如九条白龙穿云破雾，凌空而降，气势雄伟。大雨之后，山洪暴发，更加壮观，激流翻腾，吼声震天，溅珠飞玉，高达数十米，瀑潭不分，变成一条触天及地的巨龙，飞舞在青峰翠峦之间。阳光照耀时瀑间彩虹飞动，壮美之态，世间罕见。若久旱不雨，九龙瀑仍流水不竭，潭瀑分明，如游龙戏珠。临各潭边观赏，另是一番景象。九潭乃是一群五彩潭池。第一潭，圆形，直径40米。三面百米峭壁撑天，金星银光在晶莹翠绿的潭面上闪烁跳跃，异常美丽。第二潭为卵形，潭中还有一小深潭，如卵黄，水由浅入深，五彩缤纷，幻化万千。第六潭中还有一深潭若鸡心，艳丽迷人，其他各潭也别具特色。

二奇：地质结构奇特，冰川遗迹神秘。黄山是花岗岩体，其最大特点

一是断层，二是节理发育。九龙瀑区是一大断层，其节理纵横，也较复杂。由于溪流侵入岩体，形成此奇瀑。九龙瀑峡谷是U形谷，其中有众多冰川漂砾，更奇特的是那些冰臼群。冰臼是由于冰川特殊作用而形成的口小腹大的井穴。第一瀑顶处有一个小冰臼群，共10个冰臼，口径在0.5～1米之间。第二、四瀑之间的斜坡上也有一个小冰臼群，共有8个冰臼。九龙瀑的地质结构，至今还有不少未解之谜。

三奇：黄山之峰、石、松、云、水诸奇在九龙瀑景区都别具风采。站在瀑边，可望天都、香炉、罗汉诸峰，飘浮云烟之上。瀑生烟云蒸腾而上，缭绕峰石林市之间。瀑周为原始大森林，瀑边崖上奇松遍布，山花烂漫，猕猴戏耍，飞禽鸣趣，构成了九龙瀑的整体美。黄山是人间仙境，而九龙瀑景区则是这仙境中的自然水景大观。

前人有诗赞叹："飞泉不让匡庐瀑，峭壁撑天挂九龙。"明代杨补也曾咏道："欲下青峰趾不前，断崖立杖更依然。直看九派飞流下，消入苍茫破作烟。"

85. 莱茵瀑布

——欧洲流量最大的瀑布

莱茵瀑布是高莱茵河(莱茵河的上游之一)上的一个瀑布,位于波登湖和巴塞尔以下。瀑布同时也位于瑞士北部的沙夫豪森州境内,距离州政府沙夫豪森约4千米。

莱茵瀑布是目前欧洲流量最大的瀑布,其平均流量与世界上其他瀑布相比排名在第22位。它的宽度约150米,高度约23米。每年初春的融雪时期,是莱茵瀑布的水流量最大的时候。莱茵瀑布周围区域形成了一个小型湖泊,最深处约为13米。由于水量丰沛,自从19世纪以来这里就设有水力发电厂。

瀑布中央有两座岩石,必须搭乘游船抵达。其中一座岩石上设有阶梯,可以让人走上插着瑞士国旗的顶端。每年的瑞士国庆日(8月1日)在此有焰火表演。

从莱茵瀑布站下车,并不能发现任何瀑布的迹象,除了看到有个莱茵瀑

布的指路牌外，车站周围还是一番城市的景象。顺着路牌向山下走，在拐到一段大下坡后，立刻听到了瀑布的声响。几乎近得不能再近，人们才能看到莱茵瀑布，用豁然开朗这个词来形容是最合适不过的。号称欧洲最大瀑布的莱茵瀑布和黄果树瀑布相比虽然算不上雄伟壮观，但在冬日阳光的照耀下，弥漫的蒙蒙水雾却显得生机十足。瀑布对面的山上有座建筑物，游人可以上去参观，也可以乘船沿莱茵河向下，欣赏沿途的风景。

沿着山路自上而下建有不少观光平台，以便游客能从不同的角度饱览壮丽的美景，有些平台距瀑布仅咫尺之遥，站在上面能感受到磅礴的水气扑面而来，千万股水流幻化成一条银白色的绸缎在面前飞泻而下，而巨大的轰鸣声似乎要淹没周围的一切，不禁让人叹服造物主的鬼斧神工。

86. 安赫尔瀑布

——世界上落差最大的瀑布

安赫尔瀑布位于南美洲委内瑞拉玻利瓦尔州的圭亚那高原，卡罗尼河支流丘伦河上，藏身于委内瑞拉与圭亚那的高原林深处，又名丘伦梅鲁瀑布，是世界 12 大瀑布之一。当地的印第安人为其取名为“出龙”。

安赫尔瀑布是世界上落差最大的瀑布。丘伦河水从平顶高原奥扬特普伊山的陡壁直泻而下，几乎未触及陡崖，落差达 979.6 米，大约是尼亚加拉瀑布高度的 18 倍。这个地区的热带雨林非常茂密，人们不可能步行抵达瀑布的底部。雨季时，河流因多雨而变深，人们可以乘船进入，而在一年的其他时间里，只能从空中观赏瀑布。

1935 年，西班牙人卡多纳首次发现了原本只有本地印第安人才知晓的丘伦梅鲁瀑布。1937 年，美国探险家詹姆斯·安赫尔在空中对瀑布进行考察时坠机遇难。为纪念他，委内瑞拉政府将瀑布以“安赫尔”命名。

安赫尔瀑布是一个多级瀑布。第一级由山顶直泻至一结晶岩平台，落差 807 米；接着又下跌 172 米，直至丘伦河谷地。近看瀑布势如飞奔的闪电，远眺其美又如月笼轻纱。每当晨昏之际，云雾弥漫崖顶，只见瀑布从悬崖上飞泻直下，宛如一条英姿勃勃的银龙从天而降，发出隆隆的雷鸣声。它飞流落下，溅得满山谷珠飞玉散，如果在阳光的照射下，便有一条美丽的彩虹悬挂在柔媚的水雾上，再加上瀑布两旁藤缠葛绕的参天古木和嶙峋山石，使其更显得磅礴壮观……

在安赫尔瀑布下游，有个地方叫做“卡奈马”。这里也瀑布众多，景色迷人。

委内瑞拉政府在这里开辟了旅游区，修建了一条能起落喷气客机的跑道。首都加拉加斯附近的迈克蒂亚国际机场，每天有两次班机飞往这个瀑布区。在“卡奈马”欣赏了“斧头瀑布”等风景点之后，可以乘游艇逆卡拉奥河而上，去参观“安赫尔瀑布”。这里还有很多私人小飞机出租，可以乘飞机前往观赏。从飞机上虽然听不到瀑布的轰鸣声，但透过蓝天白云，可以看到一条雪白的练带飘然而出，飞机在峡谷中盘旋穿行，就算进入了“探险”的境地。因此，凡是乘飞机游览瀑布的人，都可以得到一张特制的“勇敢的探险者”证书。

87. 尼亚加拉瀑布

——瀑布之王

尼亚加拉瀑布位于加拿大和美国交界的尼亚加拉河上。它号称世界七大奇景之一，以其宏伟的气势、丰沛而浩瀚的水气，震撼了所有前来观赏的游人。

尼亚加拉河是连接伊利湖和安大略湖的一条水道，仅长 56 千米，却从海拔 174 米直降至海拔 75 米，河道上横亘着一道石灰岩构成的断崖，水量丰富的尼亚加拉河经此，骤然陡落，水势澎湃，声震如雷。

湖水经过河床绝壁上的山羊岛，被分隔成两部分，分别流入美国和加拿大，形成大小两个瀑布，小瀑布称为美国瀑布，在美国境内，高达 55 米，瀑布的岸长为 328 米。大瀑布称为加拿大瀑布或马蹄瀑布，形如马蹄状，在加拿大境内，高达 56 米，岸长约 675 米。不过这两个瀑布的高度和幅宽是随水量的变动而变动的。马蹄瀑布的水量大，水冲到河里呈青色，而美国瀑布的水则呈蓝色。

马蹄瀑布由于水量大，来水从 50 多米的高处直冲而下，气势犹如雷霆万钧，溅起的浪花和水气，有时高达 100 多米，当阳光灿烂时，便会营造出一道七色彩虹。人稍微站得近些，便会被浪花溅得全身是水，若有大风吹过，水花可及很远，如同下雨。冬天时，瀑布表面会结一层薄薄的冰，那时，瀑布便会寂静下来。

小瀑布因其极为宽广细致，很像一层新娘的面纱，故又称“新娘面纱瀑布”。因此尼亚加拉瀑布也成为了一个情侣幽会和新婚夫妇度蜜月的胜地。闻其名，便可想见它那流水潺潺、银花飞溅的迷人景色。同旁边

蔚为壮观的大瀑布相比，它显然别具一格，另有一番风韵。正如新娘的面纱，在微风中轻轻拂动；又似一片月光，柔和地洒在绝壁之上，令游客陶醉。由于湖底是凹凸不平的岩石，因此水流呈漩涡状落下，与垂直而下的大瀑布相异其趣。

来到尼亚加拉瀑布，人们可以从多种角度欣赏其风采。那里有著名的“前景观望台”，巍峨耸立，高达86米。人们只要肯用力攀登，便可将尼亚加拉大瀑布一览无余。如果想仰视大瀑布倾泻的景色，可以沿着山边崎岖小路，前往“风岩”，那就算站在了大瀑布的脚下。翘首仰望，便会领略到大瀑布那铺天盖地、飞流直下的磅礴气势，不禁使人心里涌起一股激情，与大自然产生共鸣。游客在此必须穿上雨衣，否则飞珠落玉会使人衣衫尽湿。但是要看大瀑布正面全景，最理想的地方还是站在彩虹桥上。桥跨瀑布下游的尼亚加拉河，在桥上步行5分钟，便可从美国走到加拿大。当年拿破仑的弟弟结婚时，曾同新娘一起到这里度蜜月。后来人们纷纷仿效这一做法，每年到这里观光的有不少是新婚燕尔的年轻人，因而彩虹桥又获得“蜜月小径”这样一个动听的美称。

尼亚加拉瀑布不远处斜坡上有一座大“花钟”，面积达345平方米，据说是世界第二大花钟。顺大瀑布公路向北或向南有法国修筑的要塞，还可以看到许多小瀑布，环境幽静，如诗如画，虽不如大瀑布那样波澜壮阔，但也另有一番意境。

88. 伊瓜苏瀑布

——南美洲最大瀑布

伊瓜苏瀑布是南美洲最大瀑布，世界三大瀑布之一，位于阿根廷和巴西边界上伊瓜苏河与巴拉那河汇合点上游23千米处。瀑布分布于阿根廷与巴西边界的峡谷两边，峡谷顶部是瀑布的中心地带，那里水流最大、最猛，被称为“魔鬼喉”。

瀑布高82米，宽4千米，是北美洲尼亚加拉瀑布宽度的4倍，比非洲的维多利亚瀑布还要宽一些。悬崖边缘有许多树木丛生的岩石岛屿，使伊瓜苏河由此跌落时分成275股急流或泻瀑，高度从62米至82米不等，洪水期连成一道高大的马蹄型瀑布。瀑布跌落声响远及25千米，水花飞溅升腾，从瀑布底部向空中升起近150米的水雾，蔚为壮观。瀑布附近有著名的伊普泰水电站，是仅次于我国三峡工程的世界第二大水电站。

1541 年，西班牙探险者巴卡首先发现了该瀑布。现在，阿根廷和巴西政府为保护这里的景观与相关的野生动植物，都在瀑布附近设立了伊瓜苏国家公园，为南美著名游览胜地。

在阿根廷观赏瀑布分两条线路，一是在瀑布上游俯视，游人可通过一条长 3 000 米的蜿蜒小桥抵达瀑布边缘，站在桥上，俯视伊瓜苏河注入巴拉那河的壮观景象；一是在瀑布下游仰视，自下而上领略瀑布一泻千里的百态景观。在巴西观赏瀑布就比较方便，在占地 17 万公顷的国家公园内，住在瀑布旅馆就能俯瞰伊瓜苏瀑布的全貌。

89. 莫西奥图尼亚瀑布

——非洲最大的瀑布

莫西奥图尼亚瀑布位于南部非洲赞比亚和津巴布韦接壤的地方，在赞比西河上游和中游交界处，是非洲最大的瀑布，也是世界上最大和最美丽的瀑布之一。

最早发现这个大瀑布的欧洲人，是英国传教士利文斯通。于是他以当时英国女王的名字，将其命名为维多利亚瀑布，并感慨地描写说："那些倾泻的急流像无数曳着白光的彗星朝一个方向坠落，其景色之美妙，即使天使飞过，也会回首顾盼。"1964 年 10 月 24 日，赞比亚独立后，恢复了它原来的名字——莫西奥图尼亚瀑布。

赞比西河在经过大瀑布以后进入峡谷区，大瀑布所倾注的峡谷就是峡谷区的第一道峡谷，它东西长约 2 千米，宽约 90 米。从这道峡谷起，一连有七道峡谷，大都是东西走向。每两道峡谷之间，又连结着一段短促的南北峡谷，形成 Z 字形，绵延达 130 千米，构成世界上罕见的天堑。在这里，高峡曲折迂回，苍岩如剑，巨瀑翻滚，疾流如奔，构成一幅格外奇丽壮美的自然景色。

莫西奥图尼亚瀑布带是长达 97 千米的"之"字形峡谷，落差 106 米。整个瀑布被利文斯敦岛等 4 个岩岛分为 5 段，因流量和落差的不同而分别被冠

名为“魔鬼瀑布”、“主瀑布”、“马蹄瀑布”、“彩虹瀑布”和“东瀑布”。

位于最西边的是“魔鬼瀑布”，魔鬼瀑布最为气势磅礴，以排山倒海之势直落深渊。轰鸣声震耳欲聋，强烈的威慑力使人不敢靠近；“主瀑布”在中间，它高 122 米，宽约 1 800 米，落差约 93 米，是流量最大的一条瀑布；东侧是“马蹄瀑布”，它因被岩石遮挡为马蹄状而得名；像巨帘一般的“彩虹瀑布”则位于“马蹄瀑布”的东边。彩虹瀑布因时常可以从中看到七色彩虹而得名。彩虹经常在飞溅的水花中闪烁，并且能上升到 305 米的高度，水雾形成的彩虹远隔 20 千米以外都能看到。在月色明亮的夜晚，水气更会形成奇异的月虹；“东瀑布”是最东的一段，该瀑布在旱季时往往是陡崖峭壁，雨季才成为挂满千万条素练般的瀑布。

刀尖桥是观看瀑布最好的地方。瀑布所注入的深潭下方，有一座连结两岸的铁路公路两用铁桥，人称刀尖桥。桥宽 2 米多，全长 197 米，距水面高 102 米，建于 1905 年。桥中央有一道白线，为赞比亚和津巴布韦的国界线。有了这座桥，尽管四壁是悬崖险谷，但人们可以信步漫游在深潭之上，欣赏那浪花飞溅、水雾弥天的壮景奇观。站在桥面往下看，那滔滔的雪浪，那吓人的万丈深渊，确实令人胆战心惊。走在桥面上观瀑，还要打着雨伞，否则全身会受到瀑布热情的洗礼，因为巨瀑激起的浪花和蒸腾般的烟雾，每一秒钟都在沐浴着铁桥。

莫西奥图尼亚瀑布举世闻名，堪称人间奇观，而瀑布附近的“雨林”又为莫西奥图尼亚瀑布这一壮景平添了几分姿色。“雨林”是指面对瀑布的峭壁上一片长年青葱的树林，它靠瀑布水气形成的潮湿小气候生长得十分茂盛。

伍

泉溪

90. 趵突泉

——天下第一泉

趵突泉，位于济南旧城西南隅，居济南72名泉之首，号称“天下第一泉”。其周围约17公顷的面积上，散落着37处泉池，构成趵突泉泉群，为济南城区四大泉群之一。1996年，人民政府将趵突泉及附近的金线、皇华、柳絮、漱玉、马跑等20余处名泉及众多的名胜筑墙圈围，疏浚泉池，砌垒池岸，整修建筑，辟为趵突泉公园。几经建设，园内山峦起伏，清溪潺潺，亭榭错落，终年青翠，是一座具有中国传统园林风格，以小巧玲珑、清静幽雅、赏泉观澜为特色的山水园林。

趵突泉景区是全园建构中心。泉在一泓方池之中，北临泺源堂，西傍观澜亭，东架来鹤桥，南有长廊围合。由亭、堂、廊、榭组成了一个封闭空间，高低错落的建筑像众星捧月一样，簇拥着喷突腾涌的趵突泉，人们可以从不同的角度欣赏泉景，被誉为泺水之源。

趵突泉水从地下石灰岩溶洞中涌出，其每天最大涌量达到24万立方米，

三窟并发，浪花四溅，声若隐雷，势如鼎沸，“泉源上奋”，“水涌若轮”，称“趵突腾空”。出露标高可达 26.49 米，“趵突腾空”为明清时济南八景之首。

泉水一年四季温度恒定，一般在摄氏 18 度左右。严冬，水面上水气袅袅，像一层薄薄的烟雾，一边是泉池幽深，波光粼粼，一边是楼阁彩绘，雕梁画栋，构成了一幅奇妙的人间仙境。

趵突泉水清澈透明，味道甘美，是十分理想的饮用水。相传乾隆皇帝下江南，出京时带的是北京玉泉水，到济南品尝了趵突泉水后，便立即改带趵突泉水，并封趵突泉为“天下第一泉”。泉池中放养金鱼，大者长逾 1 米。泉东侧来鹤桥设有望鹤亭茶社，专为游人提供用趵突泉水沏的香茶。

趵突泉周边的名胜古迹不胜枚数，尤以泺源堂、娥英祠、望鹤亭、观澜亭、尚志堂、李清照纪念堂、沧园、白雪楼、万竹园、李苦禅纪念馆、王雪涛纪念馆等景点最为人称道。历代文化名人诸如曾巩、苏轼、元好问、赵孟頫、张养浩、王守仁、王士祯、蒲松龄、何绍基、郭沫若等，均对趵突泉及其周边的名胜古迹有所题咏，使趵突泉的文化底蕴更加深厚，成为海内外著名的旅游胜地。

91. 珍珠泉

——曲水流觞

珍珠泉泉群位于济南城内大明湖路以南、泉城路以北约1.5平方千米的长方形地带内。共有泉池21处(含失迷泉池2处),形成家家泉水、户户垂杨的景观。该泉群在隋唐以前叫流杯池,取“曲水流觞”之意。除珍珠泉外,该泉群较大的名泉还有濯缨泉(王府池)、芙蓉泉、散水泉、溪亭泉、灰泉、知鱼泉、朱砂泉、刘氏泉、云楼泉(白云泉)、腾蛟泉、小王府池、南芙蓉泉、太乙泉、平泉、神庭泉、玉枕泉、起凤泉、沃泉、鱼池泉等。

珍珠泉泉眼甚多,涌出串串水珠,参差错落,日光相映,如同珠玑,故称珍珠泉。池岸以青石砌叠,四周饰以汉白玉栏杆,水中立“珍珠泉”碑。池南岸建水榭,深入水中,造型别致,如大鹏展翅。明代晏壁,清代王运、蒲松龄等多有题咏。乾隆十三年(1748年)弘历咏《珍珠泉》诗一首,刻碑立于泉北岸,至今留存。泉的西北角有濯缨池,由泉水汇聚而成,泉水再向北流经百花洲后注入大明湖。珍珠泉景区为一座清雅的庭园,松柏苍翠、杨柳低垂,泉池周围楼阁错落有致;园内罗锅桥西侧,有一株高五六米的宋代海棠,至今已有千年的历史,相传是济南太守曾巩所栽。另外,在珍珠泉北边新建了一座人工湖,砌假山、植苍松,别具一番风貌。

关于珍珠泉还有一个美丽的传说,相传珍珠泉的串串“珍珠”是当年舜

帝的两个妃子——娥皇和女英的眼泪所化。远古时代，历山（今千佛山）下出了一位大贤人——舜，他自小就跟着当地百姓在山下耕种，在群体生活中逐渐显示出超人的品格和才能，30 岁就被人们推举为首领。尧听说后把自己的两个女儿娥皇和女英嫁给舜，以后连国君之位也禅让于舜。舜勤于政事，常巡视四方。有一年，舜远行南方而山东一带遭受了大旱，娥皇、女英便带领父老兄弟早晚祈祷上天降雨，但姐妹二人膝盖跪出了血，天空仍没有一丝云影。姐妹俩又带领大家向龙王要水，人人双手都磨出血泡，终于挖出一口深井。正在这时，南方传来舜帝病倒于苍梧的消息，娥皇、女英当即启程南行。看着挥泪话别的人们，她们禁不住一串串泪珠洒落大地。突然，“哗啦”一声，泪珠滴处，冒出一股股清泉，泉水如同一串珍珠汩汩涌出，这就是今天的珍珠泉。后人有诗曰：“娥皇女英异别泪，化作珍珠清泉水。”

92. 月牙泉

——沙漠第一泉

月牙泉位于敦煌城南约5千米的鸣沙山环抱之中，因其酷似一弯新月而得名。古称"沙井"，又名"药泉"，清代正名为"月牙泉"。其水质甘洌，清澈如镜。千百年来沙山环泉而泉不被掩埋，地处干旱沙漠而泉水不浊不涸，实为罕见。泉内星草含芒、铁鱼鼓浪，山色水光相映成趣，风光十分优美。

月牙泉最早的记载见于东汉《辛氏三秦记》："河西有沙角山，峰愕危峻，逾于石山，其沙粒粗色黄，有如干躇。又山之阳有一泉，云是沙井，绵历千古，沙不填之。"这里所记"沙井"便指今日月牙泉。自此之后，关于月牙泉的记载便屡见史籍，并与鸣沙山紧密地连在一起。

月牙泉东西长300余米，南北宽50余米，泉形酷似月牙，四周是高耸的沙山。它的神奇之处就在于流沙永远填埋不住清泉。过去，人们难解大自然的奥秘，却以丰富的想象力创造出优美的神话故事来解释自然现象。在茫茫大漠中有此一泉，在黑风黄沙中有此一水，在满目荒凉中有此一景，深得天地之韵律，造化之神奇，令人神醉情驰。

有人说，月牙泉像一位绝代佳人的眼睛——是那样的清澈、美丽、多情；有人说，月牙泉像位窈窕淑女的嘴唇——是那样的神秘、温柔、诱人；有人说，月牙泉是一牙白兰瓜——是那样的碧绿、甘甜、晶莹。其实，月牙泉最像初五的一弯新月，落在黄沙里。泉水清凉澄明，味美甘甜，在沙山的怀抱中娴静地躺卧了几千年，虽常常受到狂风凶沙的袭击，却依然碧波荡漾，水声潺潺，是当之无愧的沙漠第一泉！

月牙泉边，白杨亭亭玉立，垂柳舞带飘丝，沙枣花香气袭人，丛丛芦苇摇

曳，对对野鸟飞翔，风景如诗如画。泉南岸台地上原建有娘娘殿、龙王宫、药王洞、玉泉楼、雷音寺等雕梁画栋、勾心斗角的大片古建筑群。月牙泉内游鱼成群，岸边绿草如茵。据传鱼称“铁背鱼”，能医治疑难杂症；草称“七星草”，有催生作用。据说，吃了鱼和草，可以长生不老。因之，月牙泉又被称为“药泉”。

岁月沧桑，至 20 世纪 90 年代末，由于受自然灾害和人为因素的影响，随着总体水位的下降，泉水补给量渐渐减少，水域面积也不断缩小，平均水深也由 1 米左右下降到 0.4 米，四周植被退化枯萎，部分绿地开始沙化。泉西边有棵数百年以上的古柳，由于水位下降而远离水面，人们只好在它的根部上方围以水泥墙，然后用管道从泉水抽水向水泥墙内浇灌，以保护古柳的生命。

93. 九曲溪

——一溪贯群山，清浅萦九曲

闽中山水的奇以武夷山为第一。武夷山美在九曲溪，神采奕奕的九曲溪是武夷山的灵魂。这条举世闻名的河流发源于武夷山脉主峰——黄岗山西南麓，溪水清澈澄莹，经星村镇由西向东穿过武夷山风景区，盈盈一水，折为九曲，因而得名。

九曲溪流域面积 8.5 平方千米，全长 9.5 千米，平均宽约 7 米。山挟水转，水绕山行，每一曲都有不同景致的山水画意境。游人乘坐从远古小舟脱胎而来的竹筏，冲波击流，荡漾而下，抬头可见山景，俯视能赏水色，侧耳可听溪声，伸手能触清流。

九曲溪的次序是逆流而数的。武夷宫前晴川一带为一曲。这里大王峰巍然雄踞，矗立云天，雄峙溪北；狮仔峰怪石峥嵘，状如雄狮，坐镇溪南，两峰南北遥遥相望。九曲溪的两岸，奇峰怪石林立，争奇斗巧，引得游人目不暇接，称奇叫绝。河道弯弯曲曲，浅滩接着深潭，时而波平如镜，时而浪打飞舟，“一时轻似箭，瞬息已过千重山”。乘竹筏观山，水在脚下；游水，山在眼前；赏洞，洞在岩壁。一派人间情趣，意味无限。

乘筏过铁板嶂，从浴香潭北上，是为二曲。奇丽的玉女峰，插花临水，亭亭玉立于溪畔，成为武夷山的象征。峰下浴香潭水澄碧如染，奇巧玲珑的“印

石”、“香流石”点缀在玉女峰周围。两岸秀竹苍翠，随风婆娑起舞，影随波荡，绿满清溪，构成一幅美妙的图画。

峰回疾转近雷磕滩，溪水依南而流，形成一个弯环，是为三曲。小藏峰危崖峭壁，耸立溪畔，仰望崖际，可见 3 000 多年前古越人的悬棺葬具“船棺”凌空悬架，风雨不毁，远航九天，令游人发思古情。

大藏峰下一泓溪水为卧龙潭，向北流过占锥滩，这一段为四曲。大藏峰危立水际，陡峭千仞，与昂首云天的仙钓台隔水相峙，溪畔有元代御茶园，茶香缕缕，令人心醉。

乘筏过卧龙潭，右折经题诗岩、小九曲北上至于林渡口，是为五曲。五曲地势宽旷，隐屏峰下，有宋代大理学家朱熹亲自创建的“武夷精舍”。五曲是武夷山风景的缩影，巨石嶙峋，背山临水，其境尤佳。

乘筏沿溪北上，行至老鸦滩为六曲，六曲仅一泓溪水，然天游峰乃“武夷第一胜地”，登临峰顶一览台，极目四望，群峰积翠，九曲环碧，一览无遗。

乘筏过老鸦滩，溯流而行，到百花庄附近的獭控，是为七曲。巍然矗立在七曲溪北的三仰峰，是武夷山风景区中的最高峰，峰连三叠，斜插碧霄，峰影朦胧，令人神往。盘峙溪南的城高岩上，松竹环簇，满坡皆绿。

芙蓉滩东西为八曲。夹溪两岸，奇峰环拱，怪石嶙峋，状如动物，宛如一个水上动物园，有雄狮石、水龟石、象鼻岩、骆驼峰、猫儿石、青蛙石、鱼磕石、海蚧石、牛轱潭、人面石等，惟妙惟肖，栩栩如生。

从峭岩附近的浅滩，到齐云峰下的星村镇，是为九曲。到了这里，放眼西望，平畴沃野，豁然开朗，别有洞天。宋诗人朱熹在《九曲棹歌》中吟道：“九曲欲穷眼豁然，桑麻雨雾见平川，渔郎更宽桃源路，除是人间别有天。”

九曲清溪，奇峰倒映，宛如一幅绝妙的丹青画图、人间仙境。

94. 虎跑泉

——虎去泉犹在，客来茶甚甘

“虎跑”即虎跑泉，在杭州大慈山虎跑寺内。虎跑寺本名定慧寺，为唐元和十四年性空禅师所建。据传，性空禅师为蒲坂卢氏子，得法于百丈海，来游此山，乐其灵气郁盘，栖禅其中。苦于无水，意欲他徙。梦神人语曰：“师毋患水，南岳有童子泉，当遣二虎驱来。”翼日，果见二虎跑地出泉，清香甘洌。大师遂留。明洪武十一年，学士宋濂朝京，途经山下。主僧邀濂观泉，寺僧披衣同举梵咒，泉觱沸而出，空中雪舞。濂心异之，作铭以记。中好事者取以烹茶，日去千担。“虎跑梦泉”由此得名。袁宏道曾赋《虎跑泉》诗：

竹林松涧净无尘，僧老当知寺亦贫。
饥鸟共分香积米，枯枝常足道人薪。
碑头字识开山偈，炉里灰寒护法神。
汲取清泉三四盏，芽茶烹得与尝新。

虎跑泉被称为“天下第三泉”，“虎跑”游览的乐趣在“泉”。从听泉、观泉、品泉、试泉直到“梦泉”，能使人自然进入一个绘声绘色、神幻自得的美妙境界。进山门之后，清泉便在脚下发出丝弦般的声响，酷似滴珠落盘的琵琶乐曲。虎跑泉为杭州名泉之一，水质纯净，甘洌醇厚，十分清澈。用虎跑泉

水泡龙井茶，清香溢口，沁人心脾，龙井茶叶虎跑水，历来被誉为“西湖双绝”。宋苏东坡赞虎跑泉诗中，留有“道人不惜阶前水，借与匏尊自在尝”的佳句。郭沫若曾赋诗赞道：“虎去泉犹在，客来茶甚甘。”

“虎跑”还是家喻户晓的传奇人物“济公”归葬的地方，“济公殿”、“济公塔院”坐落于此。近代艺术大师李叔同在此出家为僧，弘一法师纪念室也很引人关注。虎跑经全面改造，恢复了济公塔院、罗汉堂，并塑造了栩栩如生的“梦虎”和济公传说浮雕。现在虎跑泉附近有滴翠轩、叠翠轩、罗汉堂、钟楼、碑室、济公殿、济公塔、虎跑梦泉塑像、弘一法师（李叔同）塔等众多景点，供游人观赏。

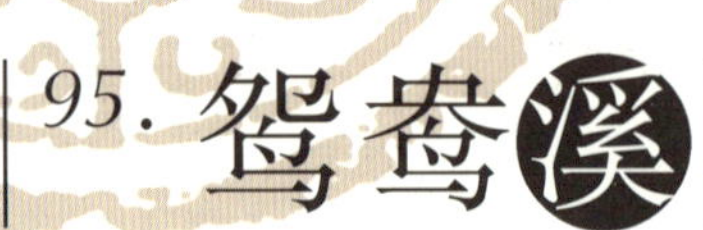

95. 鸳鸯溪

——鸳鸯之乡，爱侣圣地

鸳鸯溪位于福建省屏南县境内东北部，距离福州市 170 千米，宁德市 120 千米，东临太姥，西靠武夷，北连黄山，南接福州。总面积 176 平方千米，分为白水洋、宜洋、刘公岩、太堡楼、鸳鸯湖五大景区。境内有 1 塔、2 寺、13 滩、18 潭、21 洞、22 峰，集秀溪、峻峰、怪岩、险瀑、奇洞、朦雾于一体，构成一幅独特的全立体山水景观，500 多处景观动静交融，可谓群峰竞秀，百瀑争流，万木葱茏，溪碧如镜。

鸳鸯溪长 14 千米，附近山深林密，幽深而清静，是鸳鸯栖息的好地方。这一带溪流早在 100 多年前就发现鸳鸯来栖，每年秋季有数百上千只鸳鸯从北方飞来越冬，故屏南有“鸳鸯之乡”的美誉。鸳鸯溪更是被人们誉为“爱侣圣地”、“鸳鸯故乡”、“天然动植物园”。

同时这里也是我国瀑布最多的风景区，且各具特色，其中百丈漈水濂洞、白水洋、小壶口瀑布、鼎潭仙宴谷为国家级著名景点。

百丈漈水濂洞位于鸳鸯溪中段宜洋景区，为鸳鸯溪四大奇观之一，清代宜洋武举张朝升题曰“漈水成烟”。因洞前瀑布高过 150 米，宽 20 余米，气势恢宏，被列为“全国五大水濂洞之首”。丰水时，它仅一重瀑布，枯水时可分解为三重瀑布，曲折别致。其特点是瀑面宽，落差大。洞可容纳百余人，游人从侧面进洞身不淋湿，似游龙宫。瀑旁有神色龟、怀神蛙二石和黑猩截瀑等景与之相衬。水濂洞下正在

营造花果山，准备人工驯化猕猴。

白水洋又名仙耙溪，为鸳鸯溪四大奇观之一，是鸳鸯溪上游景区。其三大水上万米广场经国家建设部组织专家证实，系目前世界上已发现的稀有浅水广场，故被称为“天下绝景”。白水洋平坦的岩石河床为一石而就，净无沙砾。三大水上广场最大的面积近4万平方米，最宽阔处达150米，河床布水均匀，水深没踝，阳光下波光粼粼，一片白炽，故称白水洋。洋上可骑自行车，可驶汽车。有近百米的折水弧瀑和近百米的水上滑道，赤身冲浪不伤肌肤。它下与燕潭沙滩相连，既是天然的冲浪场所，又是天然的水上游乐场。

鸳鸯溪边还有被誉为“植物活化石”的冰川期遗留珍稀植物——水松林，桥梁活化石——全国最长、最多、最险的古廊桥，以及戏曲活化石——庶民戏，中国南方独有的3万亩高山稀林草场，生态系统完整的天湖高山泥炭湿地等。鸳鸯溪不仅是游客心目中的“人间仙境”，也是科考探险者的“神秘天堂”。

96. 华清池

——骊山脚下的帝王温泉

华清池位于西安东约30千米的临潼骊山北麓，是中国著名的温泉胜地，温泉水与日月同流，不盈不虚。每天都有很多游人在这里洗温泉浴。

华清池作为古代帝王的离宫和游览地已有3 000多年的历史。周、秦、汉、隋、唐等历代帝王都在这里修建过行宫别苑，以资游幸。冬天温泉喷水，在寒冷的空气中，水汽凝成无数个美丽的霜蝶，故名飞霜殿。到了唐玄宗时又在此处大兴土木，治汤井为池，环山列宫殿，此时才称华清宫。因宫在温泉上面，所以泉池也称华清池。唐代华清池是帝王妃嫔游宴的行宫，每年十月到此，年终返回。白居易《长恨歌》中写道："春寒赐浴华清池，温泉水滑洗凝脂。"

华清池温泉共有4处泉源，在一石洞内，现有的圆形水池半径约1米，水清见底，蒸汽徐升，脚下暗道潺潺有声。温泉出水量每小时达112吨，水无色透明，水温常年稳定在43度左右。水内含多种矿物质和有机物质。温泉水不仅适于洗澡淋浴，同时对关节炎、皮肤病等也有一定的疗效。

华清池大门上方有郭沫若题写的"华清池"匾额。进了大门迎面两株高大的雪松昂然挺立，两座宫殿式建筑的浴池左右对称，往后是新浴池，由新浴池往右行，穿过龙墙便是九龙湖，湖面平如明镜，亭台倒影，垂柳拂岸，湖东岸是宜春殿，北岸的飞霜殿为主体建筑，沉香殿和宜春殿东西相对，西岸是九曲回廊。由北向南过龙石舫，再经晨旭亭、九龙桥、晚霞亭，便到了仿唐"贵妃池"建筑群。"莲花汤"池形如石莲花，供皇帝沐浴；"海棠汤"池形如海棠，供贵妃享用；"尚食汤"池是供大臣们沐浴之处；"星辰汤"池传说原址上面及四周无

遮物，沐浴时可见天上星辰，故名。在星辰汤池后面还有温泉古源。出了贵妃池向前行便进望湖楼，先见荷花池，然后经飞霞阁，接着来到五间亭，中国近代史上著名的“西安事变”就发生在这里。震惊中外的西安事变发生时，蒋介石在此居住。走出望湖楼，向右可沿着一条砖砌的台阶上行，直登苍翠葱绿、美如锦绣的骊山游览。

今天的华清池，名山胜水更显奇丽，自然景区一分为三：东部为沐浴场所；西部为园林游览区，主体建筑飞霜殿殿宇轩昂，沉香殿和宜春殿左右对称；园林南部为文物保护区，千古流芳的骊山温泉就在此。华清池内又新添了中外书法碑林、梨园及其他艺术展馆，构成了集旅游、文物、园林、沐浴等为一体的综合性文物游览场所，堪称北方皇家园林之典范。

97. 腾冲地热温泉群

——地热自然博物馆

腾冲是中国著名的地热风景区，地热资源极其丰富，其中，最为壮观的地热景观是距云南腾冲县20千米处的腾冲地热温泉群，又称热海，面积约9平方千米。景区内到处可以看见各式各样的气泉、温泉，共有80余处，有澡堂河瀑布、蛤嘴喷泉、狮子头、美女池、大滚锅等景点。其中有14眼温泉的水温达90摄氏度以上，到处都可以看到热泉在呼呼喷涌。世界上有温泉的地方很多，但像腾冲热海这样面积又广、泉眼又多、疗效又好的实在不多见。

关于热海，还有一个美丽的神话传说：在远古的时候，这一带天寒地冻，人民苦不堪言。有个善良的老人历尽艰险，寻找办法，决心使这里变成温暖丰腴的地方。后来，他的诚心感动了神仙，神仙赐他一颗宝珠让他含在嘴里，他顿感燥热难耐，便一口气喝干了几条河水，最后变作了口吐热水的小龙。从此，凡是他歇过脚的地方，就有了数不清的热泉，这里成了四季温暖，牛羊肥壮，五谷丰登的地方。

腾冲的泉群不仅数量多而且类型复杂齐全，为国内外罕见，有高温沸泉、热泉、温泉、地热蒸汽泉、喷泉、巨泉、低温碳酸泉、毒气泉、蒸汽泉等等，种类繁多，简直像一座地热自然博物馆。与各种热、气泉相伴而生的还有为数众多、千姿百态的泉华景观。泉华是热、气泉从地下带来的大

量矿物质沉淀、升华的产物，它美丽多姿，能引起人们遐思翩翩。

灼热的泉华台上，滚烫的热水池畔，到处都生长着蓝绿色的藻类，向人们显示着其顽强的生命力。死去的藻丝上积淀了大量泉华，形成了精致的花纹，一层层堆积起来，奇特玲珑，有层状、笋状、钟乳石状等各种形态。那些巨大的泉华台、泉华扇、泉华豆、泉华溶洞、泉华瀑布、泉华蘑菇……白如玉，黄似金，琳琅满目，是大自然奉献给人类的杰作。

98. 花溪

——几步花圃几农田

花溪风景区位于贵阳市南郊，距市区约 17 千米，面积 220 平方千米。这里山清水秀，景色宜人，四季如春，是贵州省著名的风景名胜区。现在花溪风景名胜区由十里河滩、天河潭、燕楼马林、青岩古镇、黔陶孟关、高坡、小碧等 7 个景区组成。其中最著名的风景名胜，首推十里河滩上的花溪公园。

花溪原名花仡佬，是一个汉、苗、布依、仡佬等民族杂居的地方，仡佬族妇女喜欢美丽花哨的服饰，于是就以民族命名了。

花溪的山，娇小而玲珑，秀丽而多姿。景区内有著名的“麟”、“凤”、“龟”、“蛇”四山。花溪的水，清澈碧绿，一眼见底，游鱼可数。从花溪桥到碧云窝，河水出入两山峡峙之中，入则幽深，出则平衍。瀑布、细流、漩涡、流云、花枝、人影，静若一块宝镜，光彩耀人；动若飘逸仙女，悠然自得。

花溪是花的世界，一年四季，百花争妍，空气飘香。除人工栽培的花卉外，更多的是漫山遍岭的野花。即使是在寒冬腊月，也有株株红梅傲立枝头。“真山真水到处是，花溪布局更天然；十里河滩明如镜，几步花圃几农田”，当年陈毅副总理为花溪题咏的瑰丽诗篇，已勾画出花溪山美水美的倩影。

花溪公园的媚人之景俯拾皆是，清澈见底的潺潺溪流，婀娜多姿的棵棵垂柳，形状怪异的喀斯特山上五彩缤纷的山花，清秀淡雅的布依族山寨，形成了花溪山水的独特风韵。园内溪水环绕，四季花木争妍斗媚。平桥、芙蓉洲、松柏园等各显风

姿。秀丽玲珑的麒、凤、龟、蛇四山苍翠欲滴，景色别致。位于公园中心的“百步桥”，顾名思义，是由百具石蹬构成，游人经此，只可鱼贯而行，望水中倒影，景色美丽如画。

春季的花溪是旅游者观光游览的好地方，此时，每天都有大批的游客涌入花溪，去饱览那优美的田园风光，观赏那桃花盛开的缤纷美景。到了夏季，这里又成了游泳者的胜地。花溪美景甚多，游人只有亲临其境，细心领略，才能得其韵味。

99. 蝴蝶泉

——蝶舞泉影，缤纷奇观

蝴蝶泉，位于大理市周城北1千米处，滇藏公路西侧，苍山的云弄峰下。它像一颗透明的宝石，镶嵌在绿茵之中，以它特有的奇观，吸引着远近游客。

进入公园，缓步上坡，行约半里，即是一片成荫绿树，走过古朴的石坊，迎面有一块高约3米的大理石石碑，碑呈棱形，正面右侧有郭沫若手书"蝴蝶泉"三个大字，左侧刻有郭沫若咏蝴蝶泉诗的手迹；碑的背面，刻着徐霞客游大理蝴蝶泉的一段日记。

从牌坊到蝴蝶泉边约有百米，泉池四周用透亮的大理石砌成护栏。泉水清澈见底，一串串银色水泡自沙石中徐徐涌出，汩汩冒出水面，泛起片片水花。这泉水得苍山化雪之功，不仅水量稳定，水质也十分优良。

关于蝴蝶泉的由来，传说在苍山云弄峰下有一对男女青年，男的叫霞郎，女的叫雯姑，他俩深深相爱，常在泉边约会对歌。因美貌雯姑被霸主虞王看中，抢去欲纳为妾。霞郎用计救出雯姑，虞王紧迫不舍，他俩走投无路，双双跳入泉中，殉情而死，最后化为一对蝴蝶，在泉上翩翩起舞，此后人们就把无底潭叫作蝴蝶泉。

这儿还有蝴蝶泉边"蝴蝶会"的奇景。在泉池西北角的池边有一棵苍劲的夜合欢古树，枝叶婆娑，树荫遮天蔽日，这就是蝴蝶树。它横跨泉上，每当春末夏初，古树开花，状如彩蝶，且散发出诱蝶的清香味，其时蝴蝶群集飞舞，一只只"连须钩足"，从枝头悬至泉面，形成千百个蝶串，像一条条五彩缤

纷的彩带。这些蝴蝶，人来不惊，投石不散，形成令人惊叹的奇观。徐霞客在其游记中记述说："泉上大树，当四月初即发花如峡蝶，须翅栩然，与生蝶无异。又有真蝶千万，连须钩足，自树巅倒悬而下，及于泉面，缤纷络绎，五色焕然。游人俱从此月，群而观之，过五月乃已。"

相传农历四月十五日是霞郎和雯姑跳泉化蝶之日，因此人们就把这天作为"蝴蝶会"期。届时，白族男女青年身着盛装，集于蝴蝶泉边，唱歌跳舞，仿佛与蝴蝶比美。花丛中，树荫下，优美的歌声此起彼落，一对对男女青年倾诉衷肠，相互表达爱慕之情。这天不仅有白族青年游泉串会达二三万人，还有很多中外游客，都慕名前来观赏。

蝴蝶泉的奇景，引得古往今来的文人墨客留下了无数瑰丽的诗篇，明代杨慎《蝴蝶戏珍珠花》一诗写道："漆园仙梦到绡宫，栩栩轻烟袅袅风。九曲金针穿不得，瑶华光碎月明中。"1962 年，郭沫若来此，听当地同志介绍阿霞阿雯的爱情传说，即兴写下了长达 76 行的《蝴蝶泉》。

现在，蝴蝶泉公园修建有蝴蝶楼、八角亭、六角亭、望海亭、月牙池、咏蝶碑等，栽培了大量的花木。1985 年 12 月还建立了蝴蝶标本馆，游人如未遇蝴蝶会期，去蝴蝶标本馆参观，也可领略各种蝴蝶五彩缤纷的大千世界。

100. 牙买加

——泉水之岛

牙买加，在印第安人阿拉瓦克族的语言中，意谓“泉水之岛”。这个西印度群岛的第三大岛，位于古巴南面的加勒比海中，面积约为 11 400 多平方千米。

地球上的岛国众多，但是几乎没有一个像牙买加那样有着那么多泉水，其泉水之多，正如牙买加有首民歌所唱得那样：“牙买加，牙买加，这个泉水淙淙、河水盈盈的美丽富饶的国家……”

这个岛国上的水资源极为丰富，港汊河流纵横交错，淙淙的泉水举目可见。数不清的泉水从山间谷地、崖壁裂缝中流出，构成了一幅幅美妙的山水图画。在众多的泉水中，既有淡水泉，又有矿泉，泉水中含有多种矿物质，具有一定的医疗功效，使这里的人们颇受其益。

牙买加拥有这么多的泉水是由岛的地理特点决定的。牙买加全岛有广阔的石灰岩高原，主要分布在岛的中部和西部，境内多高山和幽谷。兰山山脉绵亘东部，最高峰海拔 2 256 米。在高山和幽谷间，瀑布长流。在石灰岩高原上，地面崎岖不平，数不清的如蜂窝般的石灰岩溶洞遍布其间，还有一些又大又深的下陷洞穴。这里地处大西洋西部，位于中美洲、南美洲之间，

属热带气候，降雨量充沛，雨水渗进地下裂隙和洞穴，形成了丰富的储水。山谷地带，由于受到自然力的作用，形成许多沟壑，使充盈的泉水四溢，汇聚成无数的河流和川涧，流泻入海。全岛大大小小的河流不下几百条，它们像一根根闪闪发光的银带，把全岛编织成一个巨大的水网。这些河流各有特色，有着丰富多采的名字：黑河、白河、大河、宽河、铜河、牛奶河、香蕉河等等。

牙买加是个水碧山青的美丽岛国，这里不仅有众多的千姿百态的岩洞和清凉的泉水，还向人们展现了绚丽的热带风光：茂密的香蕉林和椰子树，火红的大戟类植物和咖啡、柑橘等热带作物遍布全岛。这里阳光明媚，气候宜人，树木四季常绿，使牙买加岛成为世界著名的旅游胜地。

参考文献

1. 北京大陆桥文化传媒编译. 似水情怀——流淌的文明. 北京:中国城市出版社,2005.
2. 付景传主编. 世界名水. 长春:长春出版社,2006.
3. 《中国最美的100个地方》编委会编. 中国最美的100个地方. 长春:吉林出版集团有限责任公司,2007.
4. 曾琼,陈炯,张冕著. 人在江湖. 北京:中国国际广播出版社,2007.
5. 韩欣主编. 中国名水. 北京:东方出版社,2005.
6. 潘宝明,王璇璇编著. 水景欣赏与导游. 北京:旅游教育出版社,2007.

「后记」

为了弘扬中国传统文化，挖掘发展中华水文化，河海大学结合自身的办学特色，在开展水文化研究的基础上，组织编写了《水文化教育丛书》。丛书的根本要旨，在于通过水文化知识的普及和教育，提高人们对水的战略地位的认识，以带动全社会水意识的觉醒和提升；教育人们树立科学发展的水利观，以增强对水的忧患意识；培养人们爱水、节水、护水、亲水的情怀，以养成良好的水文化行为习惯；帮助人们提升水利工程建设中的文化自觉性，以确立人水和谐的科学发展理念。

《丛书》分为10个分册，分别为：《100条江河湖泊》，主编：吴胜兴，副主编：顾圣平、贺军；《100座城市与水》，主编：郑大俊，副主编：刘兴平、钱恂熊；《100项水工程》，主编：吴胜兴，副主编：沈长松、孙学智；《100例水灾害》，主编：颜素珍，副主编：唐德善、汤鸣鸿；《100位水利名人》，主编：王如高，副主编：刘春田、陈家洋；《100首水歌曲》，主编：蔡正林，副主编：刘兴平、沈俐；《100种水用具》，主编：王培君，副主编：戴玉珍、贺杨夏子；《100处水景观》，主编：蒲晓东，副主编：张彦德、潘云涛；《100篇咏水诗文》，主编：尉天骄，副主编：林一顺；《100个水传说》，主编：张建民，副主编：莫小曼、郑如鑫。

《丛书》封面上"水文化"三个字由水利部原副部长敬正书同志题写。在《丛书》的编写过程中，为了充分反映不同时期有关水文化的经典之作，各分册的编写人员通过多种途径，参阅和收集了大量的文献资料。这些文献资料对于进一步传播、发展和弘扬水文化，进一步提升人们的水文化素养具有重要价值。在此，我们对这些文献资料的奉献者表示衷心的感谢。

与此同时，我们还要说明的是，《丛书》各分册选列的是主要参考文献，未能详尽所有文献，在选引中也会有遗漏不全之处，亦敬请各位作者谅解。